ПАОЛА
ВОЛКОВА

Мост
через
бездну

книга третья

ХОРОШАЯ
КНИГА
ZEBRA

МОСКВА

УДК [7.03:008](4)
ББК 71.05(4)+85(4)
В67

Подготовка литературного и иллюстративного материала

Ольга Свирина

Художественное оформление

Олег Ерофеев

Издательство выражает благодарность

Российской государственной библиотеке искусств

за помощь в подготовке книги

Волкова, Паола Дмитриевна.

В67   Мост через бездну. Кн. 3 / Паола Волкова. — М.: Зебра Е, 2014. —
240 С., ил.

ISBN 978-5-906339-66-9

Паола Дмитриевна Волкова вновь раскрывает перед нами удивительный мир искусства. Читателя ждет необычный взгляд на знакомые произведения. Автор заставляет думать, меняет систему сложившихся ценностей, вновь и вновь уводит читателя от привычных прописных истин.

Тема зеркал и зазеркалья, тема самосознания, «Я» и двойников, мистическое и философское в зеркалах и Зазеркалье, «маски лица» и лики — об этом рассуждает Паола Волкова. И, конечно, здесь есть тема ребенка — ребенка как зеркала мира. Знаменитая «Сикстинская мадонна» и «Мадонны» Леонардо да Винчи, Тициана, Питера Брейгеля, Эль Греко и других знаменитых художников предстают в новом, неожиданном свете. Автор рассматривает тему изображения детей в искусстве, начиная с древнегреческого периода и заканчивая искусством XIX–XX веков. Рассматривает не столько с точки зрения художественного творчества, сколько с точки зрения психологии и педагогики. «Само искусство детскую тему считает обочиной», — приходит к выводу знаменитый искусствовед. Согласны ли мы с такой позицией? Готовы ли ее принять?..

ISBN 978-5-906339-66-9

ОГЛАВЛЕНИЕ

ЧАСТЬ I
О ЗАЗЕРКАЛЬЕ, ДВОЙНИКАХ И ЛИКАХ

Глава 1
«Ты вернешься. Заклятье не снято...» . . . 7

Глава 2
«Во всех зеркалах» 29

Глава 3
Память, запечатленная гением 71

ЧАСТЬ II
«ТЕПЕРЬ О ТЕХ, ЧЬИ ДЕТСКИЕ ПОРТРЕТЫ...»

Глава 1
Античность. «Цвет нации» 99

Глава 2
Средневековье. «Высшая миссия» . . . 111

Глава 3
Возрождение. «Чистейшей прелести
чистейший образец...» 121

Глава 4
Возрождение. «Святые семейства» . . . 133

Глава 5
Возрождение. «Игры детские,
игры взрослые» 145

Глава 6
Век XVII. «Испанский трагизм» 165

Глава 7
Век XVII. «Du comme il faut…». 179

Глава 8
Век XVIII. «В сплетеньи рук —
судьбы сплетенье». 193

Глава 9
Век XIX. Социальный допинг
для общества 207

Глава 10
Век XX. «Спасители мира» 223

О Зазеркалье, двойниках и ликах

Глава 1

«Ты вернешься. Заклятье не снято...»

Каждый пред Богом
наг.
Жалок,
наг
и убог.
В каждой музыке
Бах,
В каждом из нас
Бог.
Ибо вечность —
богам.
Бренность —
удел быков...
Богово станет
нам
Сумерками богов.
И надо небом
рискнуть,
И, может быть,
невпопад
Еще не раз нас
распнут
И скажут потом:
распад.
И мы
завоем
от ран.
Потом
взалкаем даров...
У каждого свой
храм.
И каждому свой
гроб.
Юродствуй,
воруй,
молись!
Будь одинок,
как перст!..
...Словно быкам —
хлыст,
вечен богам
крест.

Иосиф Бродский.
Стихи под эпиграфом
«То, что дозволено Юпитеру,
не дозволено быку...»

В финале фильма Андрея Тарковского «Сталкер» маленькая девочка глазами двигает разные предметы: банку, стакан...

Кто она? Она — дочь Сталкера — проводника в Зону.

Сталкер — человек, абсолютно не похожий на остальных, человек другой духовной жизни, другого сознания, отличного от сознания окружающих его людей. Благодаря Сталкеру эта маленькая, физически немощная и бессильная девочка, наделенная психической энергией, пришла в этот мир и словно говорит нам с экрана: «Обратите внимание! Я — маленький человек, но живу по другим законам природы, обладаю другими возможностями психики и души...»

И она, эта Мартышка, уже никогда не будет другой. Она — это будущее человечества, умеющая не только видеть по-другому, но и знающая по-другому. И эти другие знания и возможности могут управлять миром, даже если тот, кто обладает этими знаниями, не может двигаться.

Многие из нас хотят обладать такими знаниями, и они их ищут, как, впрочем, и герои фильма — Профессор и Писатель, которые в поиске ЭТОГО идут к Сталкеру — к избраннику. И тот, согласившись, ведет их к двери в Зоне, за которой каждый может найти то, что ищет, и пожелать всё, что хочет, — и это сбудется. Однако ни Профессор, ни Писатель так и не могут войти в эту дверь. Они бы сделали это, но понимают, что не готовы к такому шагу, ибо, как пожелать так, чтобы не навредить другим и иметь, а вернее, и не иметь выгоды? Ответ прост и лежит на поверхности. Для этого необходимо обладать совершенно другим сознанием — не живущим в системе ценностей. Но, несмотря на то, что Профессор и Писатель так и не смогли войти в дверь, пройдя Зону, они вышли из нее совершенно другими людьми. Зона поменяла их.

Среди нас много Сталкеров, Мартышек, Профессоров и Писателей, которые жаждут знаний. Но, чтобы попасть в Зону, мало одного желания. Надо еще и соблюдать законы пребывания в том месте. Например, как в фильме подчеркивается — в Зону нельзя входить со спиртным и оружием... Человек должен знать: для того чтобы войти в Зону, нужно иметь ясную голову, чистоту помыслов при отсутствии агрессии. И тогда, пройдя ее, жаждущий станет другим, и тогда он сможет открыть ту заветную дверь и ответить на главные вопросы: кто я? Каков этот мир? Зачем я появился на этот свет? Куда я уйду потом?

Вопросов бесконечное множество, потому что человек всегда будет находиться в поиске смысла собственной жизни, ибо сознание всему ищет смысл.

Многие пытались сопоставить сознание, как нечто Божественное или Космическое, но что тогда является тем самым Божественным или Космическим сознанием? Ведь любая гипотеза должна быть проверена на опыте, так как просто гипотеза не есть правило для науки. Тогда каким опытом можно доказать существование сознания? Его никто до сих пор не нашел и не обнаружил. Вообще, получается очень интересная ситуация: мы знаем, что сознание есть, но доказать это на практике не можем.

I. О пластах сознания

По мере того как Космическое сознание воздействовало на ЭГО и меняло его, в памяти сознания образовывалось как бы четыре слоя, или пласта.

Возможно, их и больше, но основных — четыре. Это хтоническое (от латинского «хтонус», то есть нечто, неделенность, нечлененность), мифологическое, религиозное и атеистическое (или манипулирующее) сознание. Эти пласты, слои или уровни сознания имеют разные временны́е отрезки господства (то есть доминанты). Развитие их происходит всегда прерывисто (дискретно). Следовательно, мы уже можем утверждать, что сознание дискретно, а почему так происходит — это тайна, и все это стоит выше законов логики. Всегда понятие «сознание» сопровождается словом «вдруг». Вдруг взяло и изменилось. Временна́я длительность скачка может длиться минуту или тысячелетие.

Хтоническое сознание

Хтоническое сознание — это сознание, связанное с деятельностью инстинктов. Оно полностью бессознательно и является сознанием homo sapiens. Хтонический слой является частью нашего сознания и при каждом удобном случае напоминает нам, что «Я — часть Природы». Остатком хтонического сознания может служить жест. Жест является полностью бессознательным движением. Чтобы лучше узнать человека, мы следим за его мимикой и жестами. И только после жеста к нам приходит слово. Если вспомнить о том, как раньше учили, особенно в благородных семействах, то мы увидим, что это было учение владеть собой, учение не открывать себя другим. Как правило, сначала человек делает жест, а уже потом говорит. И жест многое может сказать (или выдать) нам о собеседнике. Христос сказал своим ученикам: «...один из вас предаст Меня». И каждый сказал: «Не я ли?» И к слову добавился жест.

При хтоническом сознании человек не отделяет себя от природного мира. Он растворен в нем, ему уютно, и он чувствует себя в полной гармонии с внешним миром. Возьмем труд Карлоса Кастанеды («Беседа с доном Хуаном»). Мы видим в этом труде носителя другого сознания, отношения человека с Природой. Кастанеда сделал для нас (широкого круга читателей) обзор хтонического сознания, показав, что оно и есть стихия Природы и что человек является универсальной частицей этой стихии.

Хтоническое сознание не отделяет человека от Космоса, от Космического сознания, от самой Природы. Человек — это и есть сама стихия Природы. Это сознание не контролирует себя, не самоосознает. Оно лишено точки контроля. Обыкновенный половой акт уводит нас в хтоническое сознание. К хтоническому сознанию относятся голод и страх (недаром говорят: животный страх).

Мифологическое сознание
Мифологическое сознание с точки зрения градации находится между хтоническим и религиозным. Эпоха мифологического сознания ушла, но, как хтоника не ушла из человека, так и мифология продолжает существовать и является фрагментом нашего внутреннего мира.

Хтоника — это инстинкт, «ОНО», как называл Фрейд. Мифологическое же сознание рождает маску, опыт описания человека. В нем уже присутствует момент, который отделяет сознание от «чего-то». Это можно приравнять к революции, произошедшей в сознании человека. Именно к революции, так как при этом уровне сознания была найдена точка контроля. Это возможность взглянуть на себя со стороны, без всякой иронии.

Этапами мифологического сознания были, есть и будут: магия, демонизм, чистая мифология. При мифологическом сознании, приходящем к нам через мифы и сказания, человек получает возможность осмыслить себя и уверенно сказать самому себе: «Я — часть Природы».

Религиозное сознание

При религиозном сознании человек смело утверждает: «Я», «моё Я — это самостоятельный институт», «Я — Человек, Я — сама Природа, Я — Бог». Эта часть сознания является сознанием осмысления. Религиозное сознание связано с личностью Пророка: в иудаизме, христианстве, исламе. Оно связано с Книгой и Словом и пытается оторвать человека от бессознательного. Оно не только заставляет человека жить по правилам и прийти к исповеди, но и делает его частью общественного института.

Атеистическое сознание

Атеистическое сознание несет в себе сплошь и рядом одни лозунги. Оно внушает нам: «Если Я — это Природа и Бог, так Я и преобразую эту самую Природу». Атеистическое сознание является кризисом религиозного сознания и, в свою очередь, переходит в индустриальное сознание. Это обезьяний уровень. Нами начинают манипулировать. «Богом» для нас становится компьютер и виртуальная реальность. А это для человека — смерть. Мы сами начинаем создавать себе богов. Разве может компьютер заменить нам Бога? Или неужели мы можем назвать его Пророком? Все личности пророков нам известны. Известны их исторические биографии. Все они существовали и жили когда-то. Они — Посланцы, священные сосуды. Они — те, кто транслирует связь между людьми и чем-то свыше. Веря в Бога, человек боится грешить. Конечно, мы все равно грешим, но вполсилы. А если нет Бога, то нет и боязни греха. И, хотя для молодых Богом стал монитор компьютера, они молятся ему, но они его не боятся.

Атеистическое сознание — это сознание отрицания сил, которые находятся вне человеческого разума, и поэтому оно очень часто становится лозунговым. Оно дает нам не заповеди, а лозунги. И хотя атеизм — это не отрицание Бога, но все-таки это подмена. Атеистическое сознание заставляет нас думать, что наши возможности равны возможностям Бога. Мы начинаем считать, что мы сильнее Природы, а отсюда и экологические катастрофы. Остановка света, клонирование — всё это против Бога.

В настоящий момент наша духовная жизнь очень сложна. Во-первых, мы живем в мифологическо-религиозном сознании, так как есть еще тайны, которые мы не знаем, как разрешить. А во-вторых, мы постоянно находимся под влиянием всех пластов сознания. Они никуда не исчезли, да и не могут исчезнуть никогда, так как все это хранится нашей памятью и воспоминаниями. В этом и есть драматизм нашей жизни.

II. О маске, зеркале и двойниках

Наши воспоминания — это хронология событий, которые напоминают чем-то сменяющие друг друга сцены фильма или спектакля. Это наш собственный внутренний театр. Театр, который обладает некой мистерией. А мистерия — это и есть театр маски.

Маска — универсальный опыт нашей памяти сознания. Опыт обращается к маске, так как она является понятием очень большим и неопределенным. К тому же разновидностей маски очень много. Существовала и существует маска ритуальная, которая имеет очень большое психологическое значение. Шаману доверяется обратиться от имени людей к Природе. В момент его обращения к этим силам происходит некое ритуально-массовое действо, обращенное к некой идее.

Шаман отчасти является Сталкером, Проводником. Сталкер ведет в Зону, а остальные его слушаются. Шаман имеет анонимно-псевдонимное имя. И это тоже является маской.

Маска имеет много аспектов. Существует масса разных социальных проявлений маски. К примеру, в Египте было неприлично выходить с ненакрашенным лицом. Красивым в тот момент было лицо или нет — это другой вопрос, но «голое» лицо человека —

это незащищенное лицо. А когда накрашено — защищено маской.

Византийская маска подразумевала обязательное применение косметики, которая должна была показать вас таким, каким вы хотели бы предстать перед другими. Именно в этот момент происходит сокрытие, или, другими словами, надевается маска сокрытия. Маска-этикет. Никто не знает, кто вы внутри. У вас на лице улыбка, но внутри вас, возможно, имеется немой вопрос: «А не хотите ли чаю с ядом?» Маска вероломства. Как это похоже на сегодняшний день, когда на ком-то надета маска сокрытия, которая пытается нам сказать: «Я добрая, красивая, верьте мне, хоть я и змея внутри, но вы об этом знать не должны». Даже одежда, которую мы носим — всё это маска. Облачение, какое бы оно ни было, имеет определённое значение и превращается для каждого из нас в некий ритуал.

Во все времена и у всех народов считается, что ритуальная маска дает возможность общения с Высшими Силами. Маска обращается к коллективному бессознательному, и бессознательное выводится наружу. Жрец исполняет волю коллектива, в котором он живет и творит, становится актером и создает, делает ритуал — театральный ритуал. И маска начинает в этот момент образовывать коллективный мифологический образ.

К ритуальным маскам относятся косметика, макияж и даже боевая раскраска. Но это не полностью маска, а как бы декорация маски — антимаска. Она насмехается, иронизирует, придает экстравагантность.

Масок много, и они играют разные роли, но независимо от их назначения маски выполняют одну общую функцию (или роль) — роль сокрытия. И когда человек играет эту роль, он начинает выделяться. Маяковский сказал: «...хорошо, когда в желтую кофту душа от осмотров укутана» (В. Маяковский. Облако в штанах. 1914–1915 гг.).

Особое место в теме маски сыграл Рим. Хотя сама коллективная (или социальная) маска родилась в Греции и являлась маской гармонии, но именно с римской маски начинается ее раздвоение. Греки всегда употребляли «мы», римляне любили говорить: «Я», и Византия тоже «Я». До Рима было все гармонично, а с Рима — все наоборот. «Я», находящийся дома, и «Я», находящийся на улице, — это два разных человека, два разных «Я». Это римлянам принадлежат слова: «Мир — это театр», «театр военных действий».

Греки жили понятием судьбы. Римляне — фортуной. Жизнь можно переиграть. Если кто и создал театр, то это Греция, а римляне создали жизнь как театр. Римляне всегда были лицемерны, и это было возведено в принцип. Если взять маску античной Греции, то она является высоким образцом социальной маски, в которую входил и мифологический момент. Взять, к примеру, такое произведение, как «Победа над Кентавром». Что эта маска хочет донести до нас? Она как бы призывает нас задуматься над тем, что каждый из нас должен уметь, а главное — захотеть победить в себе хтоническое сознание (Кентавра) и стать Человеком. Маска же Рима несет в себе двойную мораль, двойное поведение (что мы можем наблюдать в наши дни). В Греции вы приобщаетесь к высшему, а в Риме вы только зритель, хтоник.

Мы стараемся все время стать другими. Функция маски — это двойничество, некое зеркало. У Ахматовой есть такие строки:

А в зеркале двойник бурбонский профиль прячет
И думает, что он незаменим,
Что все на свете он переиначит,
И Пастернака перепастерначит,
И я не знаю, что мне делать с ним.

Анна Ахматова. 1943 г., Ташкент

С древних времён люди считали, что зеркало человеку подарили слуги дьявола, чтобы он не был одинок. В основном это поверье гуляет у славянских народов. Хотя и в Европе до сих пор опасаются смотреть в зеркало в полумраке или при искусственном освещении, а когда в доме умирает человек, то зеркала завешивают тканью.

Человек и зеркало. Вот она, двойниковость. Какая маска важнее? Никто не знает. Ахматова, глядя в зеркало, находит свой «бурбонский профиль». И анализировать, осознавать себя надо исходя не из того, что сказал о вас кто-то, а что сказало зеркало — ваш двойник.

В Китае было учение о зеркале: оно состояло в том, что существует как бы три реальности: то, что находится перед зеркалом, в зеркале и зазеркалье. То, что отражено в зеркале, не является тем, что стоит перед зеркалом. Двойник в зеркале — это наша совесть, наша сущность. Мы можем подойти к зеркалу и поправить прическу, но это не значит, что в этот момент мы хотим увидеть что-то большее, чем наша прическа. Зачем мы смотрим в зеркало? Мы хотим увидеть только маску, которая должна вращаться среди миллионов таких же масок. И хотим мы того или нет, но, становясь перед зеркалом в маске, мы понимаем, что оно ее все равно снимет и обнажит нашу суть.

Мы должны помнить, что зеркало — это наше подобие. Мы, стоящие перед зеркалом, видим только наше подобие — двойник номер один. Но есть еще тот, кто живет в зазеркалье, — это наш двойник номер два. Он тот, кто живет там и выходит оттуда. Вся поэзия обращена к зеркалу и к двойнику. На этом построена вся пространственность человека. В третьем тысячелетии до н. э. китайцы создали эту концепцию. Что интересно, так это то, что теория зеркала и египетские маски сформировались по времени одинаково.

Марк Аврелий в своем философском сочинении «Разговор с душой» писал: «Не нравишься ты мне сегодня, Марк. У тебя лицо Цезаря». Двойник не умеет врать, врать умеет личина. Двойник зазеркалья помогает нам осознать себя. Легко ли человеку вести разговор с самим собой? Александр Галич писал: «...бойтесь единственно только того, /кто скажет: «Я знаю, как надо» (А. Галич. Поэма о Сталине, гл. 5).

Очень часто мы разговариваем со своим двойником, глядя на себя в зеркало. Интересно, а он живой? Чем любит заниматься? Конечно, можно взять и прочитать «Алису в Стране Чудес», пофантазировать и прочее. Но многие из нас не думают об этом всерьез.

Но вернемся ненадолго к маске. Вырисовывается одна общая черта между понятиями «Я», «сущность» и «маска». Это черта многослойности. Мы говорили о том, что существует множество «Я», которые, населяя нас, помогают приспособиться к внешнему миру. Существует множественность «сущности», которая позволяет человеку стать личностью. И существует двойниковость (возможно, тройниковость и т. д.) «маски», которую мы надеваем на себя, живя в социальном пространстве. Можем ли мы объединить все эти понятия в единое целое?

С одной стороны, можем, так как у всех трех понятий имеется множество вариаций, с другой стороны, «маска» не всегда выполняет роль, которую выполняют «Я» и «сущность». Что это за роль? В нашем понимании человек является многослойным пирогом, пласты которого не находятся постоянно в определенном порядке, а могут перемешиваться в зависимости от внешних и внутренних факторов и событий, влияющих на человека. Каждого из нас существует много. Каждый из нас есть «мы», но только эти «мы» имеют разные темперамент, взгляды, характер, привычки, вкусы и т. д. Всё это множество «Я» («мы»), множество «сущностей» сменяют друг друга периодически, каким-то образом договариваясь друг с другом без нашего ведома и не мешая друг другу. Очень много людей живут с этим ощущением множества. Кто-то из них совершенно спокойно приспосабливается и находит общий язык со своими двойниками, а некоторые начинают страдать психическими расстройствами, например «раздвоением личности».

Так что же маска? Обладая возможностью множественности, она в большей степени отображает социальную сторону каждого из нас. Умея выставить на первый план подлинную натуру человека (его сущность), она в то же время скрывает ее от взглядов посторонних. И поэтому ответить однозначно на поставленный нами выше вопрос, даже при большом желании, мы не можем, так как маска и здесь показывает свою двойниковость, как бы говоря: «Смотрите на меня так, как вам будет угодно, как кто понимает. Хотите, берите меня в компанию с "Я" и "сущностью", а хотите не брать, так я и не возражаю».

Любая маска — двойник, а ее природа — двойничество. Каждый из нас и ведом, и ведущий. Каждый из нас слабый и сильный. Мы все — куклы, исполняющие чью-то волю. Над каждым из нас есть свой кукловод. Не-марионеток нет вообще. Кукловод в полицейских погонах и «Кто-то» там, на небе. Кто лучше? Когда мы анализируем персону, то снимаем маску, которая обозначает некую роль и которую Юнг обозначил как «персона», и видим, что то, что казалось индивидуальным, — в основе своей коллективно. Маска всего лишь инсценирует индивидуальность, она заставляет думать и других, и ее носителя, будто он индивидуален. В сущности, персона изначально есть компромисс между индивидуумом и социальностью с точки зрения того, «кто кем является». А этот «кто-то» живет, имеет имя, титул, должность. К сожалению, никто не в состоянии по своему желанию отнять у бессознательного его действенную силу. Коллективное бессознательное есть не что иное, как обедневшее сознание, несущее в себе остатки рудиментного мифологического сознания.

III. О личности

Вопрос личности — вопрос сложный и имеет острые углы. Личностей мало, они приходят к нам откуда-то «оттуда» и несут свое содержание и энергию, которая сообщает нам о своем присутствии: возьмем Моцарта, создавшего новую форму музыки, или Станиславского с его психологическим театром.

Индивидуальное сознание всегда драматично. Оно не вписывается в социальную маску, надетую коллективным бессознательным. Вспомним Эдипа, который смог убить в себе Кентавра и стать Человеком. А ведь произошел инцест, и он мог бы себя убить, но нет, он выколол глаза. Почему? Потому что он хотел прозреть. Слепота — опыт психологического прозрения. Вот здесь появляется момент личности. Все большие поэты, художники, философы, иногда даже и политики имели индивидуальное сознание. Всегда стоял вопрос, а не наследственное ли это? Даже приводили и искали примеры в Природе и генетике (Ньютон и Леонардо да Винчи родились в 6-месячном возрасте, а у Канта темечко так никогда и не заросло). Или рассуждали так: можно ли развить в себе это самостоятельно? Но все эти гении — обладатели пассионарного сознания (от латинского «носитель энергетики нации») — для своих эпох были и есть возбудители спокойствия. У всех у них отсутствует чувство самосохранения. Если девиз любого обывателя: «осторожность и предусмотрительность» (а среди них встречаются очень умные, талантливые люди, но делающие всё, как все, и любящие, чтобы у них было всё, как у всех — только дороже), то гении — это люди совершенно свободные в своих мыслях и в поведении. Они как бы выпадают из жизненной нормы и создают мощный мотор цивилизации. Гений — это всегда Откровение.

Да, есть люди, которые, попадая в определенные ситуации, становятся великими. Но, как правило, они чаще разрушают, так как думают только о себе (примером могут служить и Сталин, и Ленин).

Гении раздвигают границы нашего сознания, и получается, что их сознание, доходя до нас, влияет и изменяет наше. Полностью или частично — это не столь важно. Важно то, что в этот момент мы начинаем эволюционировать. Они — это «Спасители Мира». Без них мир пропадет. Поэтому личностей любят уничтожать. Нет личности — нет и культуры. У Конфуция как-то спросили: «Что скажешь о будущем?» И он ответил: «Давно лошадь не выходила из воды, давно птица Феникс не возрождалась на Аравийском полуострове. Боюсь, что все кончено». Что имел он в виду? Конфуций имел в виду раскрытие сознания и возрождение из пепла. Другими словами, должна появиться Личность, и только так мы сможем узнать «что-либо».

Личина, личность, лик. Мы говорили о том, что маска скрывает личину. Личина — это маска. Личность — это индивидуальное сознание. А что же такое лик? Лик — истончение мира, святости. Восхождение к лику — это чудовищная работа по убиванию в себе страстей. Сбрасывание страстей. Лик — это духовная сущность. Это человек без своего «Я». Он прошел свой крестный путь. Судьба Христа — показательна. Родился в семье плотника, был странником, скитальцем и нищим, который не мог заплатить за вход в Иерусалим. Был Учителем для некоторой группы людей, которая не всегда его понимала. Но был и суд Пилата. Было предательство учеников. Христос был готов к этой миссии. Он простил всех, нес на себе крест в прямом и переносном смысле. Это и есть главный подвиг.

Нищету часто сравнивают с ликовостью. Так ли это? Если это добровольный выбор — очень хорошо. Но это не имеет значения. Взять хотя бы историю Александра Первого. Какое воспитание! Имел в детстве ползуны, спал на кровати. А что происходило в его душе? Он стал набожным. Скончался молодым. По романовской легенде, император Александр инсценировал свою смерть, ушел из мира и стал старцем, скитальцем Федором Кузьмичем. Он выбрал путь искупления греха. Это было осознание своей греховности, ведь молодой Александр знал, что его отца, Павла Первого, хотят убить, но не воспрепятствовал этому.

Прежде чем говорить о ликовом изображении, нужно помнить, что нет ни одного безымянного Лика, все они имеют биографию. Если же появляется кто-то безымянный, то это Ликом не считается. Что представляет собой ликовое изображение? Это изображение, очищенное от случайных или бытовых форм. Оно олицетворяет собой как бы восхождение к Истине. Многие гении имеют черты ликового опыта, освобожденного от страстей. Лик — это как бы портрет совершенно истинного образа, который теряет имя и становится над ним, вне имени. Лик — это путь познания Истины. Нельзя путать Лик и маску — это разные вещи: ведь ритуальная маска универсальна для любой культуры, и хотя маски все разные, но они имеют близость к хтонике.

Маска обращена к Природе, к явлениям Природы, к священному бормотанию. Она соединяет Высшее и Первичное. Социальная маска — это адаптация в социальном мире. Ликовые формы, нашедшие свое отражение в античной, греческой культуре, можно сравнить с приближением к Лику, но они отличаются от Лика тем, что передают всего лишь образ совершенного человека с великолепными физическими формами. Ликовая идея ассоциируется у нас с миром иконописи, так как ликовая античность приходит к нам через плоть, а ликовость христиан изымает плоть и тем самым дает антиплоть. Изображая плоскость на плоскости, она дает только обрисовку тела, но не само тело. Если задать вопрос: есть ли контакт между ликовым опытом и социальным, то можно ответить, что есть. Но он находится в состоянии оппозиции. Юродивый — это святой, а в Греции есть понятие: «В здоровом теле — здоровый дух».

Икона — это всегда образ духовного подвига, обращенная к старчеству и отрочеству. К примеру, возьмем образ Николая Угодника. Он не старец — он мудрость, наставник, он стоит над страстями. Или Георгий Победоносец — образ молодого юноши, убивающего дракона. Он всегда изображен в подвиге, лишенном физического усилия. Ручки и ножки у него маленькие. Орудие немощное, но он поражает Дракона, ибо его сила не в физической мощи, а в духовной. Он — не победитель Олимпийских игр. Он владеет концентрацией энергии духовности. И тем самым он неуязвим. Змий — это Вселенское воплощение Убожества и Зла, так как он — Химера. Он может дышать и жабрами, и легкими, он живет под землей и в воздухе. Химеру может победить только более чем Химера или такой, как Георгий.

К сожалению, в России любили создавать ложных святых: Зои, Павлики — вот пример еще недавних современных святых. Но они забываются. Жанну д'Арк помнят, а о них забыли. Как становились святыми? Возьмем, к примеру, первых русских святых Бориса и Глеба. Кто они? Никто. Сыновья князя Владимира от последнего брака. Одному 12, второму 16 лет. У них был старший брат Святополк Окаянный, который в борьбе за престол убил одного из них во сне, другого в лесу. После вступления на престол Ярослав объявляет их святыми. Почему? Да потому, что они были невинноубиенными. Они нужны были в Истории на тот момент времени, и они прижились. И их помнят. К ним идут просить. А Зою Космодемьянскую — нет. И Павлика Морозова — нет.

Ещё существует такое понятие, как ликовая литература: Коран, Ветхий и Новый Заветы, Арканы, Книга Перемен и прочее. Но, чтобы понять эту литературу, нам тоже нужен Сталкер, о котором мы говорили в самом начале.

Итак, ликовая форма — это сознание, абсолютно очищенное от какого-то ни было мирского эгоизма. «Я» — нет. Его не существует. Социальная маска — это «Я». А здесь «Я» растворилось в Высшем. Чистый Подвиг не во славу меня самого, а во славу чего-то. Православие говорит: сделал — забудь, отдал — забудь. Помощь без корысти. Самым великим грехом считается уныние души. Вы должны пройти тернистый путь, но не унывая. А как же иначе? Нам нужен опыт, чтобы преобразиться. А путь к свету всегда труден.

Психологическое понимание иконы — это портреты, лишенные эгоизма и страстей. И нет места для уныния. Если вы унываете, то подвергаете сомнению веру. Вы не верите, а, следовательно, дьявол имеет лазейку, пустоту. Начнется уныние — кончится всё.

Если посмотреть на то, как нарисована Богородица, то мы увидим, что Ее всегда изображали и изображают как образ девственной чистоты. Она Бога Родица. Несколько темноватый лик, большие глаза, узкий нос, малый рот, девственный овал лица, тонкие пальцы, на руках Младенец — еще не сошел с рук, Он еще вписан в Нее. Он часть Ее, но уже одет в мужскую одежду, в золотые пелены. Одежда взрослого мужа, так как Христос не может быть дитем, у него нет возрастной психологии. Он сразу: и Младенец, и Муж в одном лице. Он уже Путеводная Звезда. У нее же два возраста: девичество (непорочная Дева) и мудрая женщина (вот он, ключ ликового облика). Она никогда не смотрит на Сына. Она знает, что уже отдала Его. На ее лице Космическая Печаль. Не уныние, а печаль.

Личность имеет тенденцию к ликовому подобию, а ликовое сознание всегда индивидуально. Быть святым не означает: не пить алкоголь, поститься, все время креститься. Это для человека — выбор определенной модели жизни, отличной от массовой. И хотя биографии ликов уже растворились в нашем жизненном восприятии, но эти люди действительно когда-то жили. Ликовое сознание требует от нас не иметь страха, не иметь чувства самосохранения, идти на Подвиг. Лик находится не перед зеркалом, а перед зазеркальем.

Глава 2

«Во всех зеркалах»

Не осуждая позднего раскаянья,
не искажая истины условной,
ты отражаешь Авеля и Каина,
как будто отражаешь маски клоуна.

Как будто все мы — только гости поздние,
как будто наспех поправляем галстуки,
как будто одинаково — погостами —
покончим мы, разнообразно алчущие.

Но, сознавая собственную зыбкость,
Ты будешь вновь разглядывать улыбки
и различать за мишурою ценность,
как за щитом самообмана — нежность...

О, ощути за суетностью цельность
и на обычном циферблате — вечность!

Иосиф Бродский.
Сонет к зеркалу

«**З**емля же была безвидна и пуста, и тьма над бездною, И Дух Божий носился над водою» (Быт. 1:7)... «Я всегда считал, что, раз Дух Божий носился над водою, вода должна была его отражать» (Иосиф Бродский. Поклониться тени. СПб., 2006, с. 192).

Вот вопрос: что появилось раньше, человек или зеркало? Наверное, раньше появилось зеркало, ибо Дух Божий отразился на поверхности водных зеркал.

Но в тот момент, когда, взглянув на свое отражение в воде, человек понял, что тот, кто там, — это он сам и есть, то есть самоотождествился, произошел толчок самоосознания. Это я — в зеркале. Зеркало — самый древний, всеобщий, без деления цивилизационных, временны́х границ предмет чего? Предмет сознания, как отражения тебя в мире и мира — в тебе. И с тех самых пор, датировка которых невозможна, ничего не изменилось по существу. Зеркалом является вода, специально изготовленный человечеством отображающий предмет и, несомненно, сон.

Представление о зеркале как второй отраженной Вселенной свойственно и древней архаической китайской философии «ба-гуа», и даосизму, и конфуцианству, и буддизму. Дао есть зеркало всего сущего: оно холодно, спокойно, пусто. Оно таинственно отражает Всё, ибо само есть всё и ничто. Пустота зеркала дао являет то, на что оно направлено: «...зеркало есть вторая отраженная жизнь. Это будет мертво? Нет, ибо не мертво и не живо то, что отражается в зеркале: это — вторая жизнь, загадочное бытие, подобно бытию призрака или галлюцинации» (Хуан Фань-чо. Зеркало просветленного духа. М., 1979, с. 33).

На пустом пространстве сцены всегда возникали и сегодня точно так же возникают образы параллельного зеркального мира. Так, величайший философ и режиссер XX века Питер Брук назвал свою книгу «Пустое пространство». «Любое ничем не заполненное пространство можно назвать пустой сценой», — утверждал Брук (П. Брук. Пустое пространство. Неживой театр). «...Сцена — это место, где можно увидеть невидимое» (П. Брук. Пустое пространство. Священный театр). Вглядитесь в поверхность зеркала — она пуста, холодна, недвижна. Она — тайна, в глубине которой возникают двойники мира, отраженного его поверхностью.

Для всей культуры Древнего Китая, от бытовой до философско-мистической, зеркало в любом его виде имело минимум три значения: бытовое, двойниковое и зазеркальное. То же самое и в Европе, и в других цивилизациях. Что мы можем сегодня добавить к тому, как эта особенность нашего сознания была определена древними? Нового — ничего. Здесь нет эволюции, но есть культурное разнообразие в понимании вопроса во времени, в технологии изготовления зеркала, в появлении некоторых аспектов изучения, но это всё. Главное остается неизменным.

I. Я перед зеркалом

«Рано утром я пролетаю мимо зеркала, чтобы не видеть свое отражение. Потом только, выпив крепкого чая, я начинаю приводить себя в порядок согласно утреннему ритуалу. Зеркало — мой беспристрастный и холодный контролер. Меня интересует только мой внешний вид. Зеркало помогает в соответствии желаемого и видимого. Мои мгновения перед зеркалом равны вечности». (Здесь и далее — прямая речь автора.)

Вопрос в деталях, хотя есть мнение, что именно в деталях всё дело. В каких зеркалах прихорашивались красавицы былого? Средиземноморские цивилизации более всего ценили красоту. Самоотраженность — один из ее аспектов. Итальянский поэт, один из величайших деятелей итальянского Проторенессанса, Франческо Петрарка, воспевая человеческую красоту, показывает живой и трогательный образ своей возлюбленной сквозь призму зеркала, где зеркало со своей способностью отражать становится соперником и недоброжелателем влюбленному.

Мой постоянный недоброжелатель,
В ком тайно Вы любуетесь собой,
Пленяет Вас небесной красотой,
В которой смертным отказал Создатель.
Он Вам внушил, мой злобный неприятель,
Лишить меня обители благой,
И сени, что достойна Вас одной,
Увы, я был недолго обитатель.
Но если прочно я держался там,
Тогда любовь к себе самой внушать
Вам зеркало едва ль имело право.
Удел Нарцисса уготовлен Вам,
Хоть нет на свете трав, достойных стать
Цветку неповторимому оправой.

Франческо Петрарка. Лирика.
Автобиографическая проза. М., 1989, с. 38

Говорят, что зеркало изобрел или создал Гефест, и было оно сплавом меди с оловом, архаической бронзой с «зеркально» отполированной поверхностью. Но еще раньше, до этого, Венера, вознесшаяся из вод, увидела в них свое отражение и осталась довольна собой. В те же незапамятные времена один красивый юноша по имени Нарцисс, увидав свое отражение, замер, потрясенный собственной красотой. Он не мог оторвать от себя взора. Юноша превратился в бледно-восковой прекрасный цветок, растущий из воды. Но для нас этот миф, как и всякий миф, стал нарицательностью самовлюбленности. С тех пор появляется понятие «нарциссизм». Мы предполагаем, и миф нам эту версию подтверждает, что Нарцисс был прекрасен, но кто его знает. Вдруг он был так себе, или некрасив, или очень некрасив, а просто самовосхищен. Ведь влюбленность в собственное отражение была для холодного и гордого юноши наказанием за отвергнутую любовь нимфы Эхо. Кстати, уже тогда отражение соединилось с мистическим, с предсказанием слепого прорицателя Тиресия, пророчившего Нарциссу долгую жизнь только в том случае, если тот не увидит своего отражения. В первобытной магии существовало предостережение: разглядывание, а тем более вглядывание в свое отображение могло нанести непоправимый вред, призрачный двойник мог погубить и увести с собой в Зазеркалье. Отголоском этих верований является мифологема о Нарциссе.

Наши «денди» конца XIX века говорили просто: «Я живу и сплю перед зеркалом». Помните, как у А.С. Пушкина в поэме «Евгений Онегин»:

Быть можно дельным человеком
И думать о красе ногтей:
К чему бесплодно спорить с веком?
Обычай — деспот меж людей.
Второй Чадаев, мой Евгений,
Боясь ревнивых осуждений,
В своей одежде был педант
И то, что мы назвали франт.
Он три часа по крайней мере
Пред зеркалами проводил

И из уборной выходил
Подобный ветреной Венере,
Когда, надев мужской наряд,
Богиня едет в маскарад.

А.С. Пушкин. Евгений Онегин, гл. 1, строфа XXV

Они-то, «денди» конца XIX века, вечно находились перед зеркалом-контролером, даже если его не было рядом.

«Тихо лесть плетет свои сети, и ты уже видишь то, что хотел бы, как Король в знаменитой сказке Андерсена».

В Китае конфуцианцы всегда носили у пояса зеркало. Быть хорошо одетым, причесанным, держать «маску лица», улыбаться значило быть образцовым членом общества. Зеркало придирчиво отмечало несовершенство и небрежность деталей костюма и прически. Это касалось «этикета», этической стороны жизни. Ты должен быть прибран, правильно одет, чист и приятен для окружающих.

Такие рассуждения об утилитарной функции зеркала могут показаться банальными. Но они касаются бытового, самого распространенного, массового употребления зеркала.

* * *

История технологического усовершенствования зеркала связана с требованиями культуры.

В Античности это маленькие (не больше ладони) отполированные зеркала из стали или бронзы, доступные лишь очень состоятельным людям. В 1279 году францисканец Джон Пекам изобрел новый способ изготовления зеркала — он предложил покрывать обычное стекло тонким слоем свинца. Ну а первыми производителями зеркал считаются венецианцы. Секрет изготовления держался в большой тайне, и даже был издан указ, запрещающий зеркальщикам покидать пределы страны. Ревностно охраняя свою монополию на зеркала, в конце XIII века «Совет десяти» Венецианской республики повелел перевезти всех стеклодувов на остров Мурано. Официальной причиной такого решения была защита городов от пожаров. На деле же к тем, кто отказывался хранить тайну и пытался покинуть страну, подсылались наемные убийцы.

Венецианцы научились создавать лучшие в мире зеркала, спрос на которые распространился далеко за пределы Старого Света. Аристократы и состоятельные негоцианты готовы были платить любые деньги, лишь бы взглянуть на себя, любимых.

Министр финансов Людовика XIV Жан-Батист Кольбер приводит в своих воспоминаниях пример, когда венецианское зеркало размером 100 × 65 см было продано за 8000 ливров, а полотно Рафаэля в это же время — за 3000. Вспомним знаменитый роман Александра Дюма «Три мушкетера», действие которого происходит чуть раньше, в эпоху правления Людовика XIII: д'Артаньян продает лошадь за 3 экю, то есть 10 ливров. Следовательно, за 8000 ливров можно было купить табун лошадей или, например, небольшое морское судно.

На рубеже XVII и XVIII веков новая Сан-Гобеновская мануфактура во Франции перешла к изготовлению литых зеркал с амальгамой 2,7 × 1 м. Это была революция по сравнению с зеркалом выдувным. Тайна литого зеркала охранялась столь же сокровенно, как ранее стекольные тайны зеркал Мурано. Убийства, шпионаж, авантюры зеркального производства были не меньше, чем атомно-водородного в XX веке.

Новые запросы жеманниц и модников придворной жизни Европы требовали таких зеркал. Литые зеркала вошли в моду при дворе Людовика XIV, Карла I в Англии, в Испании. Цены на них упали, зеркала стали появляться в частных домах, облаченные в картинные рамы. Дамы стали носить на поясе маленькие зеркала, прикрепленные цепочками. По-прежнему культурно-бытовая функция зеркал колебалась, как встарь: от придирчивого или восторженного самолюбования в самоотражении до этически-презентабельной, придворной. В Версале для Людовика XIV впервые была создана большая Зеркальная зала. Только представьте: стена зала длиной более 73 метров украшена зеркалами, отражающими свет, который льется из 17 больших французских окон в противоположной стене. Кстати, именно в этой зале в 1919 году был подписан Версальский мирный договор, официально завершивший Первую мировую войну. Надо сказать, что Зеркальная галерея «короля-солнце» стала предметом для подражания архитектурных решений и в Европе, и в России. По замыслу архитектора Бартоломео Растрелли в 1751–1752 годах в Петергофе был спроектирован Танцевальный зал площадью 270 кв. м. Обилие зеркал, фальшивые зеркальные окна-обманки, огромный плафон зеркального свода создавали необыкновенно богатое и праздничное убранство.

На картинах голландских художников XVII века мы видим сцены из жизни голландцев, их дома, стены, украшенные географическими картами и зеркалами. Бессознательный монтаж макро- и микромиров. Торговля, путешествия изобильно снабжали лавки и рынки голландских городов экзотическими товарами. Карты, исполненные художественно, были зеркалом мира, стянутым в точке отражения. Зеркала в рамах на стене были также отражением домашнего мира: порядка и чистоты, женщин в белых чепцах и передниках, протестантской подтянутости; до блеска натертых, плитками выложенных полов, прозрачного стекла окон и посуды.

Зеркало карт и комнат формирует, делает обозримым, адекватным пространство — человеку.

В XVII веке в Голландии делали закупки зеркал частные лица до 500 000 ливров за 10 лет. А герцог Орлеанский за четыре года один накупил в Сен-Гобене зеркал на 30 000 ливров. И то сказать — мы не можем судить о дешевизне или дороговизне. Один из современников, некто герцог Листер, писал о Париже: «Здесь добились того, что зеркало стоит так дешево, что нет теперь здесь ни одного наемного экипажа, ни одного фиакра, у которого спереди не было бы укреплено большое зеркало» (М. Листер. Путешествие по Франции. СПб., 1995, с. 130).

Предмет роскоши становится предметом бытовой необходимости, имеет индустрию производства и развитую торговлю.

Десакрализация культуры привела к вытеснению зеркал в прихожие и ванные комнаты. Интересна тенденция последних лет: отход от зеркала как предмета утилитарной функции и применение его для усиления иллюзии света и простора, искривления и изменения пространства. Зеркало создает иллюзию бесконечности пространства. Почти все биоэнергетики, экстрасенсы, маги и парапсихологи отмечают, что зеркало — это особый энергетический инструмент, связанный с тонким миром и способный творить настоящие чудеса. Считается, что специалисты фэн-шуй (фэн-шуй — даоская практика символического освоения пространства) умеют использовать отражающие поверхности для активизации определенных зон жилища и для нейтрализации неблагоприятной энергии.

Зеркало сегодня — это не просто необходимый предмет интерьера и нашей повседневной жизни, это еще и произведение искусства, которое хранит в себе еще никем не изведанные тайны.

В витринах больших магазинов, кабинках лифтов, ванных комнатах, пудреницах, во всех присутствиях мы можем видеть свое отражение во всех предзеркальных пространствах и, не вдаваясь глубже, поправить прическу (парик), помаду, чулки, улыбку.

Зеркала для элегантных дам — они же зеркала жизни, они — зеркала морали и порядка. И если задуматься, то зеркала по праву являются живописными полотнами, отчасти книгами. Все разнообразные, не сводимые к внешнему единообразию средства отражения создают картину единственного образца. А может быть, даже убаюкивающего совершенного сходства с мечтой о себе, о мире, в котором живешь или хотел бы жить. И дальше, и дальше — к замыслу Бога о своем создании.

II. В зеркале

О загадочных, магических свойствах зеркал люди говорили еще с древних времен.

Отражающая поверхность притягивала и одновременно пугала своей непостижимостью. Зеркала наделялись самыми невероятными свойствами, что, безусловно, нашло отражение в культуре. Мифологические корни зеркала как принципа жизнедеятельности, принципа организации бытия отражены во множестве примет, гаданий, верований. В сказках эти таинственные отражающие поверхности, будь то волшебное стекло или вода, показывали всю правду о прошлом, настоящем и будущем. Но даже в сказках зеркало не могло стать единственным источником познания мира. Отражения в зеркале описывались как «тени сна», метафоры. Зато, например, разбившееся зеркало до сих пор многие считают преддверием разного рода несчастий, беды.

> Порвалась ткань с игрой огня,
> Разбилось зеркало, звеня.
> «Беда! Проклятье ждёт меня!» —
> Воскликнула Шалот.
> *А. Теннисон. Волшебница Шалот. Перевод К.Д. Бальмонта*

Зеркалу приписывали и божественную связь с силами Света, наделяя способность «отображать» целебными свойствами; и относили к «нечистым» предметам, связанным с самим Сатаной. В Средние века изготовление и применение зеркал были запрещены Церковью, так как считалось, что человек, смотрящийся в зеркало, общается с дьяволом. Через отражение в зеркале можно было потерять душу. Средневековые стеклянные зеркала, выпуклые, с темной поверхностью, вызывали суеверный страх и считались обязательным предметом в арсенале колдунов и ведьм. За таким магическим зеркалом полагалось ухаживать, давать ему силу, подпитывая светом полной луны, и прятать от солнца. Считалось, что с помощью этого магического предмета ведьма может наводить порчу и сглаз, вызывать дьявола и удерживать взаперти демонов и злых духов. В приговоре ведьме в качестве обвинения мог фигурировать осколок зеркальца.

Зеркало как бы приоткрывало пространство потустороннего, оно и манило, и пугало, поэтому обращались с зеркалом опасливо.

На Руси зеркало тоже считалось предметом особенным, таинственным. В историко-этнографическом исследовании М. Забылина есть запись: «Стенных зеркал у русских вообще не было. Церковь не одобряла их употребление. Особенно духовным лицам. Собор 1666 г. положительно запретил иметь зеркала в своих домах; благочестивые люди избегали их как одного из заморских грехов; только зеркала в малом формате привозились из-за границы в большом количестве и составляли принадлежность женского туалета» («Русский народ: его обычаи, обряды, предания, суеверия и поэзия» / Сост. М. Забылин. М., 1880, с. 480–481). Зеркала в гостиных и парадных появились при Петре I, при нем же был основан и первый зеркальный завод на Воробьевых горах. В Центральном государственном историческом архиве в Санкт-

Петербурге хранится «Дело по канцелярии управляющего императорскими заводами с историческими сведениями об императорских заводах и фабриках и с отчетами о состоянии заводов». В одной из записок этого дела (лист 50) указано: «Императорские стеклянный и зеркальный заводы основаны в царствование Петра Великого в Москве на Воробьевых горах… Потом заводы переведены в г. Ямбург, а оттуда в 1769 году стеклянный завод переведен Шлиссельбургского уезда в село Назью. В 1777 году заводы поступили в полное распоряжение светлейшего князя Потемкина. Заводы сии переведены в С.-Петербург, стеклянный в 1779 году, а зеркальный в 1783 году, и были подчинены ведомству кабинета Е. И. В… Стеклянный завод в С.-Петербурге был устроен на земле, принадлежащей Александровской лавре…» (ЦГИАЛ, ф. 468, об. оп. 12, вп. оп. 211/377, д. 78, 1856).

Сложившееся на Руси двоеверие (слияние язычества и христианства, так называемое народное православие) сделало зеркало неотъемлемым элементом святочных гаданий:

Татьяна, по совету няни
Сбираясь ночью ворожить,
Тихонько приказала в бане
На два прибора стол накрыть;
Но стало страшно вдруг Татьяне…
И я — при мысли о Светлане
Мне стало страшно — так и быть…
С Татьяной нам не ворожить.
Татьяна поясок шелковый
Сняла, разделась и в постель

Легла. Над нею вьется Лель,
А под подушкою пуховой
Девичье зеркало лежит.
Утихло всё. Татьяна спит.

А.С. Пушкин. Евгений Онегин, гл. 5, строфа X

Кто появляется в таинственном пространстве зеркала во время таких магических обрядов, неизвестно. Играет ли с нами наше воображение, или там действительно проявляется образ, будущее? На сегодняшний день нет серьезных научных неопровержимых доказательств того, что зеркало живет самостоятельной жизнью и транслирует нам запрашиваемые образы-картины, во всяком случае, автору они не известны (речь не идет о всевозможных многочисленных опытах и исследованиях). Зеркало притягивает к себе своей прямой функцией — отражением существующего, и это отражение вызывает ничуть не меньше вопросов.

Отношение к зеркальному двойнику не просто разнообразно, но порой и очень противоречиво. Например, эзотерические традиции разных культур и народов утверждают, что мы существуем не только в данном конкретном месте, в определенной временной точке материального мира: «Наш зеркальный двойник из миров иных измерений отражает лишь свойства нашей настоящей инкарнации. В прежних рождениях мы так же, как и теперь, смотрелись в зеркало и видели нашего зеркального двойника соотнесенной инкарнации. Этот двойник, несмотря на частые изменения нашего внешнего облика и интерьера, является постоянной субстанцией нашего неизменного Я. Он обладает значительно

Часть I. О Зазеркалье, двойниках и ликах

бо́льшими силами и знаниями, чем любой из нас».
И эти утверждения вызывают множество вопросов и
сомнений, между тем...

«А в зеркале двойник бурбонский профиль прячет...» — мы уже упоминали эти строки знаменитой
поэтессы. А в зеркале действительно наш двойник,
наша тень, наша сущность с «бурбонским» или еще
каким-то профилем или фасом. Не совсем совпада-
ющая с нами, любимыми.

И снова вернемся к праотцам. Учения о двой-
ственной сущности человека, о его двойничестве,
было присуще всем древним верованиям.

И даже миф о Нарциссе может иметь еще один
смысл — противоположный. Он ли видит себя, или
двойник видит его?

Тишина звенящая
В рамке темноты.
Кто здесь настоящая?
Может, это ты?
За лесами, реками,
Может, есть земля,
Где ты смотришь в зеркало,
Чтоб возникла я.

К/ф «Чародеи», песня «Зеркало», слова Леонида Дербенева

«В зеркалах, в воде и на всякой гладкой, отполированной поверхности являются нашим взорам
тонкие тела, в точности походящие на отражен-
ные предметы», — писал в философских размыш-
лениях «О природе вещей» римский писатель Лу-
креций (I век до н. э.). С книгой этого философа
буквально не расставались интеллектуалы-эпи-

курейцы XVIII века. Тонкие тела, образы теневые, бесплотные. Они ускользают от осязательности и чувственности, но верны и точны. Именно такой точной, но не осязаемой иначе чем для глаза была монохромная китайская живопись «цветов и трав».

Огромны — увы — эти вещи земные!
Я в них не подвинусь серьезно вперед.
Но, скажем, вот тень от сосны на дороге.
В ней мастер всего пропечатал себя!

Тао Юань-мин. IV–V вв. н. э.

Бесплотные тени двойников в зеркалах — иллюзии, не точные копии объектов. Так полагал Платон (Платон. Государство, с. 596). Но он же писал и о другой сущности отражений — знаковой, то есть ином познании реальности через отражение, вырвавшееся из пещеры тела-плоти.

К «познанию самого себя» призвал Дельфийский оракул. Знак души как образ тени-двойника стоит перед нами, а вернее — мы перед ним, и демонстрирует благороднейшей из дам ее бурбонский профиль. «И я не знаю, что мне делать с ним», — заключает свой стих Анна Андреевна.

И конечно же зеркальное отражение как вопрошение о себе, как самоанализ, разговор с собой начинается тогда, когда тело и дух начинают непростую внутреннюю полемику. В здоровом теле не всегда здоров дух. Старая апокрифическая христианская легенда рассказывает, как безгрешные творенья Господа Адам и Ева видели в зеркале Господа и постоянно общались с ним. А может быть, они вообще видели Господа лишь зеркально отраженным? Но вот что знаменательно: после грехопадения поверхность зеркала стала темнеть, и больше они Его лика не видели.

Отражение зеркала вне зависимости от технического совершенства, как и картина в раме, меньше того пространства, в котором находимся мы сами. В зеркале — кадр того пространства, той среды обитания, где мы сами находимся. Крупный план. Это усиливает взгляд на самого себя, на самонаблюдение и самоанализ. В зеркале мы можем увидеть то, что прячется за внешним обликом и никаким иным путем ни увидено, ни понято быть не может. «Как я выгляжу?» — «Замечательно», — ответят друзья. На самом же деле мы всё знаем сами о себе, и не станет утешать честная пристальность вопрошания холодного, отраженного и абсолютно неведомого пространства.

* * *

Реальность и отражение взаимно поддерживают и раскрывают друг друга. Автопортреты художники пишут, в основном глядя в зеркало. Автопортрет никогда не самоизображение, но всегда вопрошение о себе или психоанализ, пристальное вглядывание и ответ (или повисший между художником и его отражением вопрос). Винсент Ван Гог, Рембрандт, Альбрехт Дюрер пишут в жанре автопортрета горькую исповедь целой жизни. Итальянский живописец Сандро Боттичелли оставляет нам свой автопортрет на картине «Поклонение волхвов», написанной около 1475 года. Это период ранних работ художника. Создана эта картина была по заказу, для состоятельного горожанина, банкира Заноби дель Ламы, близкого к семье Медичи. Она предназначалась для фамильного алтаря в церкви Санта-Мария Новелла. Один из самых величайших писателей и первых историков искусства в Европе, Джорджо Вазари, в своем «Жизнеописании...» напишет о «Поклонении волхвов»: «Поистине, произведение это — величайшее чудо, и оно доведено до такого совершенства в колорите, рисунке и композиции, что каждый художник и поныне ему изумляется» (Джорджо Вазари. Жизнеописание Сандро Боттичелли, флорентийского живописца // Жизнеописания наиболее знаменитых живописцев, ваятелей и зодчих. М., 2008).

Здесь хотелось бы сделать замечание, очень важное для читателя и, безусловно, интересное для исследователя. Оно касается того, что на протяжении XV века, точнее, периода раннего итальянского Возрождения (Кватроченто), во Флоренции тема «Поклонения волхвов» была написана бессчетное количество раз. Просто не было ни художника, ни скульптора, никого другого, кто не написал бы «Поклонение волхвов». Эта тема бесконечна и продолжается до сих пор. В основе сюжета лежит евангельский рассказ о том, как Каспар, Мельхиор и Бальтазар — три великих волхва — пришли в вертеп и принесли дары Младенцу.

«Когда же Иисус родился в Вифлееме Иудейском во дни царя Ирода, пришли в Иерусалим волхвы с востока и говорят:

Где родившийся Царь Иудейский? ибо мы видели звезду Его на востоке и пришли поклониться Ему.

Часть I. О Зазеркалье, двойниках и ликах

Услышав это, Ирод царь встревожился, и весь Иерусалим с ним.

И собрав всех первосвященников и книжников народных, спрашивал у них: где должно родиться Христу?

Они же сказали ему: в Вифлееме Иудейском, ибо так написано через пророка:

«И ты, Вифлеем, земля Иудина, ничем не меньше воеводств Иудиных; ибо из тебя произойдет Вождь, Который упасет народ Мой Израиля».

Тогда Ирод, тайно призвав волхвов, выведал от них время появления звезды;

И, послав их в Вифлеем, сказал: пойдите, тщательно разведайте о Младенце и, когда найдете, известите меня, чтобы и мне пойти поклониться Ему.

Они, выслушавши царя, пошли. И — се, звезда, которую видели они на востоке, шла перед ними, как наконец пришла, и остановилась над местом, где был Младенец.

Увидевши же звезду, они возрадовались радостью весьма великою,

И, вошедши в дом, увидели Младенца с Мариею, Матерью Его, и, падши, поклонились Ему; и, открывши сокровища свои, принесли Ему дары: золото, ладан и смирну»(Мф. 2:1–11).

Но художники, пишущие этот сюжет во Флоренции XV века, изображают не пещеру, а какое-то общественное место.

В журнале «Вам» была статья, в которой говорилось о том, что Медичи [одно из самых богатых и знаменитых семейств Флоренции, представители которого неоднократно становились ее правителями в период с XIII по XVIII век и которое спонсировало самых известных и знаменитых мастеров Возрождения] были создателями такой организации — не подумайте, что речь идет о тайном ордене, — нет. Скорее, речь идет о полусветском ордене, учрежденном по образцу традиционных для средневековой Италии благотворительных организаций. Медичи были создателями определенной организации, к которой принадлежали сами и в которую входили посвященные люди. Называлась она «Орденом волхвов». Почему именно так? Потому что они чувствовали себя волхвами — первыми людьми с сознательным и историческим мышлением, которые действительно пришли первыми, чтобы возвестить о новой эпохе и новом времени.

В картине Боттичелли «Поклонение волхвов» перспективная точка картины сходится на том месте, которое называется «ясли» или «вертеп». Там, на троне, сидит Мадонна с Младенцем, и, конечно, в ее чертах мы узнаем Симонетту Веспуччи, стоит Иосиф. Рядом расположилась семья Медичи. Справа — Лоренцо и его двор, слева — Джулиано и его двор. Джулиано изображен стоя, согнув одну ногу в колене и чуть выставив ее вперед. Очень хорошо виден Лоренцо. Но, по нашему мнению, там показаны еще два человека, которые находятся близко от трона Мадонны — это предки дома Медичи — Козимо и так называемый Бичи Медичи, основоположник банкирского дома.

Многочисленные портреты семьи Медичи и их окружения: поэтов, философов, ученых — одна из отличительных черт знаменитого полотна. Мы многих узнаем на этой картине. Художник Сандро Боттичелли выявляет портретное сходство каждого из персонажей, но и идеализирует их, объединяя в акте возвышенного созерцания. По сути, перед нами зеркало Флоренции XV века, в котором отражаются видные политики, ученые, философы Платоновской академии, банкиры, купцы, включая и самого Боттичелли.

Себя живописец поставил справа, в стороне. Он стоит в полный рост, на нем желтый плащ донизу. Он стоит у самого края картины и смотрит на нас, словно отвернувшись от происходящего.

Здесь художник отстраненно рассматривает самого себя как личность. Он как бы размышляет сам о себе: кто он здесь и зачем он здесь.

В чем ценность автопортрета Боттичелли? Это абсолютно исключительный автопортрет, и в нем есть одна уникальная черта: эта черта и есть сам автопортрет внутри картины. Все-таки тогда, в середине XV века, такая вещь, как помещение своего, явно выраженного автопортрета внутрь картины или вообще отдельно, была явлением не очень распространенным. Можно сказать, что это была большая редкость — такая потребность в автопортрете, а не мода, которая появится несколько позднее. И автопортрет Сандро Боттичелли — один из самых первых и подробных автопортретов. Подробных, потому что это автопортрет не погрудный и не профильный, это портрет в рост.

С одной стороны, Сандро Боттичелли показывает себя внутри определенной картины. Он был частью семьи Медичи и присутствовал вместе с ними здесь, в определенном моменте. Но, с другой стороны, он как бы отстранен, он смотрит не на происходящее на картине, а на происходящее вне картины, он смотрит на себя, рисующего, он смотрит на нас. Идут века, и мы проходим мимо этой картины, ловя вопрошающий сквозь века взгляд художника. Сандро Боттичелли как будто говорит нам: на самом деле я — мост. Мост над бездной. Почему? Потому что он сам чувствует себя этим мостом, перекинутым над бездной и соединяющим два космоса. Собственно говоря, это — автопортрет любого художника, так или иначе смотрящего сквозь столетия, протекающие мимо, и соединяющего нас, зрителей, со своим временем, делая нас причастными к своей эпохе. Как говорится в подобных случаях, именно такие вещи творят нашу память, творят свое, а заодно и наше бессмертие.

Автору довелось видеть эту картину в Лувре, на очень солидной выставке, посвященной дому Медичи. Удивительно, как автопортрет Сандро Боттичелли выпукло соединяется с общей композицией, вот этой рекой — друзья Академии, семья — и вместе с тем, как он отделен от всего этого. И как сам художник с полотна смотрит на нас. Он обращен только к нам, и он понимает, что через него время пойдет вперед. Боттичелли — художник с историческим сознанием, именно поэтому мы считаем, что это — великий автопортрет, свидетельствующий о глубочайшем уме, глубочайшем осознании своей миссии и о том, что Сандро Боттичелли — это человек, мыслящий себя исторически, то есть как участник исторического процесса, отстраненный от себя. Конечно, для простого человека, не гения, такая самоидентификация просто невозможна. Не глаза, лицо, руки-ноги — а отражение функции моста над бездной, исторического проводника.

Автопортрет Сандро Боттичелли нам интересен еще и тем, что по времени он написан до появления во Флоренции знаменитого религиозного проповедника, общественного деятеля, реформатора эпохи Возрождения Савонаролы. Для Сандро Боттичелли призывы к покаянию и отказу от грешной жизни монаха-доминиканца Савонаролы стали своеобразным водоразделом, изменившим и жизнь, и мировоззрение художника. Проповеди итальянского монаха как зеркало отражали всю суетность и праздность жизни, царившей во Флоренции.

Джироламо Савонарола предсказывал предстоящее наказание погрязшей в пороке Церкви и ее последующее обновление, обличая всю Италию в грехах и грозя ей гневом Господним. Савонарола запретил любые проявления роскоши, завел школы живописи, скульптуры, архитектуры и книжной миниатюры, поощрял занятия науками, в особенности богословием, философией и этикой. Он фанатически принялся за исправление нравов: женщины перестали носить богатые одежды, на улицах вместо песен звучали псалмы, читали только Библию, а проповеди назначались на часы проведения балов и маскарадов.

7 февраля 1497 года в Жирный вторник (праздник-карнавал в канун Великого поста, то же, что на Руси — окончание Масленицы, Прощеное воскресенье), на площади Синьории, у палаццо Век-

кио под руководством Савонаролы доминиканцы в черно-белых одеждах готовили костер для «сожжения сует». Была сложена зловещая семиступенчатая, по числу смертных грехов, пирамида из «позорных анафем». Эта небывалая гора из музыкальных инструментов, ветхих папирусов, богатых женских нарядов, парфюмерных продуктов и зеркал, живописных полотен, скульптур и книг, среди которых — творения Платона и Овидия, Боккаччо и Петрарки, Боттичелли и Леонардо да Винчи, бесценные шедевры Древней Греции и Рима, все росла и росла. Жители города, кто добровольно, кто под воздействием сторонников Савонаролы складывали в эту ужасную гору «игрушки сует». Существует легенда, будто бы Сандро Боттичелли собственноручно бросил в этот «костер тщеславия» несколько собственных полотен на мифологические сюжеты. Некоторые исследователи, напротив, утверждают, что к этому времени художник, как и пророчил Савонарола, был очень болен и уже не мог передвигаться самостоятельно без костылей, поэтому просто стоял в стороне и смотрел: «Он не мог, однако, не прийти на площадь Синьории в ночь сожжения «игрушек суеты», как окрестил их Савонарола. Да, «плаксы» постарались на славу, и зрелище обещало быть действительно грандиозным и поучительным. Гора отобранных у граждан вещей была величиной с приличный дом, а венчала ее фигура с козлиными ногами и развевающейся по ветру бородой из мочала. Скорее всего, это был символ Сатаны, но, возможно, неистовый проповедник именно так представлял себе языческих богов. Напрасно старался Сандро рассмотреть в этой пирамиде хотя бы одно из своих творений: всё было перемешано, разбито, испоганено» (Зарницкий С.В. Боттичелли. 2007).

У Дмитрия Мережковского есть описание момента «празднества», когда в огне этого костра гибнут шедевры Леонардо да Винчи, в частности утраченное полотно «Леда и лебедь»: «В это время монахи водрузили черный крест посередине площади, потом, взявшись за руки, образовали три круга во славу Троицы и, знаменуя духовное веселье верных о сожжении сует и анафем, начали пляску, сперва медленно, потом все быстрее, быстрее и, наконец, помчались вихрем с песнею:

Ognun gridi, com`io grido,
Sempre pazzo, pazzo, pazzo!
Пред Господом смиритесь,
Пляшите, не стыдитесь.
Как царь Давид плясал,
Подымем наши ряски, —
Смотрите, чтобы в пляске
Никто не отставал.
Опьяненные любовью
К истекающему кровью
Сыну Бога на кресте,
Дики, радостны и шумны, —
Мы безумны, мы безумны,
Мы безумны во Христе!

У тех, кто смотрел, голова кружилась, ноги и руки сами собою подергивались — и вдруг, сорвавшись с места, дети, старики, женщины пускались в пляску. Плешивый, рыжеватый и тощий монах, похожий на старого фавна, сделав неловкий прыжок, поскользнулся, упал и разбил себе голову до крови: едва успели его вытащить из толпы — иначе растоптали бы до смерти.

Багровый мерцающий отблеск огня озарял искаженные лица. Громадную тень кидало Распятие — неподвижное средоточие вертящихся кругов.

> Мы крестиками машем
> И пляшем, пляшем, пляшем,
> Как царь Давид плясал.
> Несемся друг за другом
> Все кругом, кругом, кругом,
> Справляя карнавал.
> Попирая мудрость века
> И гордыню человека,
> Мы, как дети, в простоте
> Будем Божьими шутами,
> Дурачками, дурачками,
> Дурачками во Христе!»

Мережковский Д.С. Воскресшие боги // Христос и Антихрист.
Седьмая книга. Сожжение сует, 1993

Конечно, преобразования Савонаролы вызвали жесточайший протест в высших кругах флорентийского общества. Против него выступали не только сторонники Медичи, аристократия, но также папский Рим, который Савонарола в своих проповедях за нравственную распущенность уподоблял Вавилону. Противостояние закончилось не в пользу знаменитого проповедника. Монах-доминиканец и его ближайшие сторонники были повешены на той же площади, где еще год назад пылал «костер тщеславия», а после их тела были сожжены. Эти события до глубины души потрясли Сандро Боттичелли, несправедливость и сострадание к мученичеству Савонаролы заставили художника по-другому взглянуть на личность этого человека. После смерти Лоренцо Великолепного (предсказанной Савонаролой) и, особенно, после казни Савонаролы, которая последовала в 1498 году, художник, по всей вероятности, стал просто безумен. «Боттичелли почудилось, что зимняя мгла вольется в комнату, погасит очаг и он захлебнется в дымной тьме. Алессандро подбросил щепок. Алые сполохи ярко вспыхнули. Горбатая страшная тень скорчилась на стене... Старость. "Ах, только сейчас начинаешь понимать, — подумал Сандро, — сколько в жизни натворено глупостей, сколько потеряно, ушло невозвратных лет".

Вдруг Боттичелли показалось, что в окне проплыла белая фигура. Из открытой двери внезапно пахнуло утренней свежестью трав, ароматом цветущего сада.

Тихий смех Симонетты раздался за спиной Алессандро.

В черном пролете дверей стояла Весна. В тонких руках ее была белая пушистая ветка черешни. В русых распущенных волосах Флоры вплетена гирлянда живых цветов.

— Здравствуй, Боттичелли, — прожурчал мелодичный голос.

Дрожь прошла по спине художника. Он вцепился влажными руками в поручни кресла. Сандро почувствовал, что еще миг, и он задохнется от страха. И тут он увидел отражение лица Флоры в овале старого зеркала венецианской работы. Его поразила странная улыбка Весны.

— Почему я не вижу твоих новых работ, Сандро?

Боттичелли молчал. Тысячи ответов теснились в его разгоряченной голове. Кровь стучала в висках. Он силился встать. Колени подогнулись. Силы изменили ему.

— Не можешь ответить? — прошептала Весна. — Хорошо, я помогу. Ты забыл о Весне. Разлюбил людей. Не веришь им. Видишь кругом лишь коварство, клевету, ненависть, предательство. Только мрак. В тебя вошла Зима. Так жить нельзя.

Флора подняла высоко ветку цветущей черешни. Дивный свет разлился вокруг. Будто вихрь закружил лепестки белых цветов. Словно вьюга запорошила комнату. Закачалось и упало старое тяжелое зеркало. Тысячи осколков усыпали пол.

Вой ветра и холод разбудили Боттичелли.

Пол был усыпан седой золой.

...Последние десять лет жизни, а умер Сандро в 1510 году, он почти ничего не писал. В "Книге мертвых" цеха врачей и аптекарей было сказано, что Боттичелли скончался 17 мая и был похоронен на кладбище церкви Всех Святых во Флоренции» (Долгополов И. Мастера и шедевры: В 3 т. 1986. Т. 1. Сандро Боттичелли).

Говорят, что Сандро Боттичелли был забыт уже при жизни и по нему очень горевал Леонардо, который, мягко говоря, не отличался особым сочувствием к людям. Леонардо описывал, как однажды шел по Флоренции и увидел человеческую фигуру, похожую на птицу, распластавшуюся на деревянном заборе, и он никак не мог понять, кого она ему напоминает. Леонардо прошел мимо и только потом понял и написал: «Это же был мой Сандро». Именно так: «мой Сандро». В эти слова Леонардо вложил любовь и нежность, а такие слова ему были несвойственны.

«Когда я была молоденькой, то я видела Боттичелли во сне, я видела фильмы во сне — сны о Боттичелли. Настолько глубоко он связан с моей потребностью в красоте и в романтизме. В нем есть та недосказанность, которая должна быть в чувствах, в восприятии мира, в жизни. В нем есть какая-то абсолютная красота, которая не является абсолютной красотой пропорций и форм — она в чувственном восприятии формы, немножечко, самую малость, приправленная горечью, одиночеством, пустотой декаданса, то, что нам, современным людям, очень свойственно. Я знаю своих художников-современников или художников начала XX века, но их здоровье, их оптимизм, их боль или их трагичность, быть может, не так близки мне, как сочетание этой не высказанной до конца боли и не выраженного до конца восторга, который есть у Боттичелли».

* * *

Веласкес оставил единственный автопортрет — картину «Менины», но он равен рассказу о собственной жизни и о том, как он ее видит и что о самом себе думает. Всмотритесь в это таинственное зеркало жизни.

Художник пишет себя за мольбертом с кистью в руках, в кольце окружения моделями, которых писал всю жизнь. Дети, карлики, придворные, собака, начальник охраны в проеме двери и король с королевой в отражении зеркала на стене мастерской.

Как много писали об этой картине и копировали ее, включая Пикассо или начиная с него. Сегодня мир изобразительного искусства предлагает посетить целую выставку, совершенно необычную выставку одной картины, которая включает в себя парафразы и изопарафразы картины Веласкеса «Менины»: живопись, скульптуру, инсталляцию, фотоколлаж и даже фильм. Это путь к новым размышлениям, рождению какого-то нового неординарного, необычного взгляда, особенно если учесть, что сегодня нам предлагает массовая культура:

Век требовал запечатлеть
Его рывки и ужимки —
Тут нужны не мрамор, не медь,
А моментальные снимки.
Озарения — к черту прозренье твое.
И никаких выкрутасиков!
Лучше заведомое вранье,
Чем парафразы классиков.
Гипсовых формочек «требовал век»,
Реакции требовал бурной,
Шустрой прозы ждал человек,
А не вычур рифмы «скульптурной».

Гарин И.И. Век Джойса, Эзра Паунд. 2002, с. 378

Многослойность и сложность картины «Менины», которая только непосвященному зрителю кажется обычной жанровой сценкой, вызывает интерес и желание «творческой распаковки» не только у исследователей, но и у художников, поэтов, философов. «Менины» как в зеркале, зеркале своеобразном, преломленном, нашли свое отражение в творчестве Франсиско Гойи, Сальвадора Дали, Пабло Пикассо.

Пабло Пикассо, изучая картину «Менины», написал более четырех десятков полотен, создавая собственные интерпретации знаменитой картины Веласкеса.

Комментарий, равный «потолку Сикстинской капеллы», Рафаэлю или Леонардо да Винчи, но мы видим его только в зеркале, как анализирующего суть отражения.

Итак, кого пишет художник? Он пишет короля и королеву Испании (судя по размеру холста) в рост. Они, должно быть, позируют, стоя перед ним. Но в зеркале на стене их расползающиеся тени — поясные. Маленькая инфанта Маргарита, очаровательное дитя, в окружении свиты фрейлин, карликов, воспитательницы — карлицы Барберины, которая демонстрирует нам свой орден, пришла к художнику посмотреть, как пишет он папу с мамой. Инфанта захотела пить, и фрейлины-менины, прекрасные, как цветочная клумба, подают ей в красной ароматической глине воду. Это все прекрасно, но на самом деле художник Веласкес пишет всю группу на переднем плане с девочкой в центре, а тени в зеркале — за их спинами, и мы не сразу видим их, а потом, равно как и скорее уже кляксой расползающуюся фигуру начальника внутренней охраны в проеме двери.

Пишет эту картину в картине художник на большом холсте, а перед ним, смонтированное из фрагментов, зеркало в стене. Не видимое нами зеркало и отражает композицию «Менин». Дотошные исследователи этого шедевра живописи, а «Менины», безусловно, шедевр живописи, клянутся, что Диего де Сильва Веласкес никогда не писал парного портрета Филиппа IV и его второй супруги Марианны Австрийской. Тогда мы можем сюжет композиции представить иначе: Веласкес пишет свой портрет, и что на холсте — нам не известно. Его обступают те, кто всегда были ему моделями, то есть рассказывает нам о главном. Он — Веласкес (а это имя, как имя Шекспира, — нарицательное) — пока стоит перед мольбертом и держит в руках кисть. А вот — его мир, его модели и герои. В жизни иерархия одна: он в своей мастерской зажат между королями и охраной, а вокруг хрупкие и трогательные люди-тени, люди-куклы, застывшие в строгом церемониале жизни. Но он, Диего Родригес де Сильва-и-Веласкес — волшебник, и в его руках волшебная палочка, и он назначает свой порядок, и тогда на первый план выходят дети, карлики, фрейлины, собаки, а что же сильные мира сего? Они лишь тени Зазеркалья. Веласкес знает себе цену и свои ценности. Их — в игре зеркал — он оставляет нам навеки рассказом о себе, своей жизни внешней, придворной и глубоко скрытой, свободной.

Как перекликается это содержание со словами Сервантеса, современника Веласкеса, которые писатель вкладывает в уста своего знаменитого героя Дон Кихота: комедии «приносят великую пользу государству, постоянно показывая зеркало, в котором ярко отражаются дела человеческой жизни, и ничто не обрисует с такой яркостью, как комедия и комедианты, каковы мы на самом деле и каковыми нам быть надлежит. Если это не так, скажи: разве ты никогда не видел на сцене комедий, где выводятся короли, императоры, папы, рыцари, дамы и другие различные персонажи? Один изображает распутного бандита, другой — обманщика, третий — купца, четвертый — солдата, пятый — хитрого простака, шестой — простодушного влюбленного, а когда комедия кончается и актеры сбрасывают свои костюмы, — все они между собой равны. <...> Ведь то же самое, что в комедии, происходит и в нашей жизни, где одни играют роль императоров, другие — пап, словом, всех персонажей, которые могут встретиться в комедии, а когда наступает развязка, то есть, когда кончается жизнь, смерть снимает эти разнообразные костюмы, и в могиле все между собой равны» (М. Сервантес. Дон Кихот. Т. 2, гл. XII). Но Веласкес своим творчеством, своим гением снимает маски гораздо раньше, чем наступает печальный итог. Мало того, он оставляет нам, зрителям, эти развенчанные исторические фигуры.

На картине Веласкеса «Менины» художник Веласкес, пристально вглядываясь в зрителя, пишет картину. Но мы ее не видим, холст отвернут, скрыт от любопытного взгляда. Мы уже делали предположение по поводу написания парного портрета испанской четы Филиппа IV и Марианны Австрийской. Но, может быть, холст еще пуст? Или, напротив, нет там никакого парного портрета, а есть совершенно другое изображение? Это незнание волнует нас, как и многих исследователей. В чем загадка, и есть ли подсказка на самой картине? Где скрывается намек на разгадку тайны? Мы можем сделать еще одно предположение: на холсте именно та картина, которую мы лицезреем перед собой. Мы видим уже законченную картину, которую художник еще пишет на картине. В свою очередь, сам художник пишет картину, в которой он смотрит на самого себя в процессе написания той же самой картины. И так далее.

Бесконечная череда пространственно-временны́х отражений создаваемого и созданного мира — загадка нескончаемого творчества. «Мгновенье, прекрасно ты, продлись, постой!» — воскликнул Фауст в трагедии «Фауст» Иоганна Вольфганга Гёте (И.В. Гёте. Фауст. Кабинет Фауста, сцена 4). Для нас Веласкес остановил мгновение в своей картине. Для себя же он продлил мгновение в бесконечность, продолжая писать свою калейдоскопическую картину, которую он уже написал для нас.

«В 1656 году Веласкес пишет свои знаменитые "Менины" — картину, которая вот уже четвертое столетие представляет миру неразрешимую загадку, рождающую различные логические доказательства и интуитивно-образные толкования того, что же находится вне изображения, что пишет художник и что видят другие картинные персонажи, что обусловило мотивацию их взглядов и совершенство композиционных линий полотна, но не явлено зрителю. XX век открыл шедевру Веласкеса новые ракурсы интерпретации и перспективы осуществления. Образы "Менин" неоднократ-

Плакат к фильму «Сталкер». 1980 г.

Кадры из фильма «Сталкер». Режиссёр Андрей Тарковский. 1979 г.

Маски главных слуг из Рима, Мелоса, Афин и Пергама

Маска неизвестной. Египет. XXI-XXII династии

Анненков Юрий. Анна Ахматова. 1921 г.

Танцевальный зал Большого Петергофского дворца.
Автор проекта Б.Ф. Растрелли. 1751–1752 гг.

Зеркальная галерея Версальского дворца.
Автор проекта Жюль Ардуэн-Мансар. 1678–1684 гг.

Сандро Боттичелли. Поклонение волхвов. 1474–1475 гг.

Сандро Боттичелли.
Поклонение волхвов
(фрагмент). 1474–1475 гг.

Сандро Боттичелли. Поклонение волхвов (фрагмент). 1474–1475 гг.

Фра Бартоломео. Портрет Савонаролы. Около 1498 г.

Леда и лебедь. Копия несохранившейся картины
Леонардо да Винчи. 1510–1515 гг.

Диего Веласкес. Менины (Фрейлины). 1656 г.

Франциско Гойя.
Менины. 1778 г.

Пабло Пикассо. Менины. По Веласкесу. 1957 г.

Джоэль Питер Уиткин. Менины. 1987 г.

Ирма Груенхольц. Менины. 2011 г.

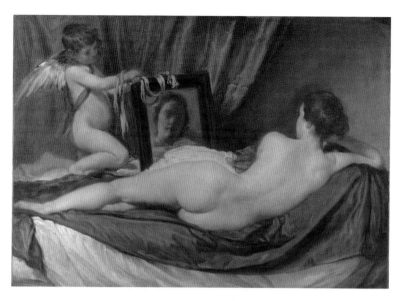

Диего Веласкес. Венера с зеркалом. Около 1647–1651 гг.

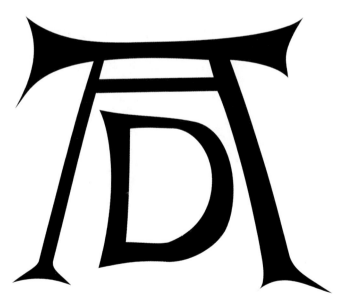

Подпись Альбрехта Дюрера

Альбрехт Дюрер. Автопортрет. 1500 г.

но "животворятся" в художественных цитатах, репликах, которыми столь богата культура последнего столетия (спектр рефлексий грандиозен: от работ Пикассо разных периодов творчества до "мотивов" современных русских художников). Это и своеобразная музейная инсценировка в Прадо, где сейчас хранится картина (напротив полотна, под углом к нему поставлено зеркало — так, как, возможно, оно стояло перед художником во время работы), — виртуальная игра, совместное действо зрителей, оживших героев и самого автора, будто срежиссировавшего данную ситуацию несколько столетий назад», — напишет в своей монографии «"Менины" Веласкеса в зеркале культурфилософии XX века» А.В. Ляшко (XVII век в диалоге эпох и культур: Материалы научной конференции: Серия «Symposium». Вып. 8. СПб.: Издательство Санкт-Петербургского философского общества, 2000. С. 34).

Эпиграфом к «Менинам» могут быть слова Пушкина: «Я воды Леты пью — мне доктором запрещена унылость» (А.С. Пушкин. Домик в Коломне, строфа XII).

Веласкес был удивительно абсолютно свободен и в том, что писал, и в том, как писал (несмотря на заказы). Он единственный (кроме Гойи в XIX веке), кто написал обнаженную натуру, лучше которой в живописи нет. И тоже с зеркалом — вторым «я» натуры. Речь идет о картине Диего Веласкеса «Венера с зеркалом», написанной около 1647–1651 гг. Прекрасное, гибкое, молодое тело, созданное для танца, для гармонии художественного воплощения, сама

Терпсихора. В зеркале — отражение ничуть не отвечающее волнующему чувственно-одухотворенному совершенству линий талии, бедра, целомудрию плеча, пучка волос и затылка. Из зеркала смотрит на нас краснолицая, вульгарная прачка, крестьянка Дульсинея, не мечта гордого рыцаря, но вполне реальная трудовая девушка. Перед зеркалом наших очей — одно, в зеркале Амура — не иное, но противоположное.

* * *

Альбрехт Дюрер перед строгим вопрошением зеркала подвергает себя настоящему психоанализу. Во всех книгах, исследованиях, упоминаниях о Дюрере всегда возникает отдельной темой его «Автопортрет» 1500 года, который ныне является жемчужиной коллекции живописи мюнхенской Старой Пинакотеки. Многие исследователи считают его главным полотном великого мастера. Действительно, совершенный по технике, теплый золотисто-умбровый; лицо анфас по канону «Спас Златые Власы» с тремя прядями золотых волос на ясном высоком челе, глаза цвета меда, пронзительный, проникающий взгляд. Одухотворенное лицо Мастера. Всё вызывает ассоциацию с иконой. На портрете отсутствуют сопутствующие предметы интерьера, на темном фоне как бы парят надписи, подчеркивая символизм изображения. С одной стороны, дата и подпись Дюрера, с другой — надпись, которая в переводе с латыни гласит: «Я, Альбрехт Дюрер, 28 лет от роду, написал нетленными чернилами свой портрет».

Считается, что это один из первых портретов, изображающих человека анфас. В конце XV — начале XVI века вид строго в фас был исключением для светского портрета, такое изображение было связано не со светским портретом, а с религиозным, и прежде всего — изображением Христа и святых. Изображение себя в строго фронтальной позе имело для Дюрера очень глубокий смысл. В своих сочинениях (а Дюрер был известен современникам не только как художник, но и как писатель) он призывал жить «по Христу». Человек, по мысли Дюрера, должен напоминать Спасителя не только внешне, по образу и подобию, но и в высшем смысле — готовностью брать на себя и нести «крест», возлагаемый на него в земной жизни. Стремление человека к единению с Богом и в то же время — высокое понимание миссии художника.

Может быть, Дюрер хотел отобразить свое идеальное «Я», каким оно должно быть? Он — Мастер, творящий шедевр с отсветом Демиурга. Современников такой подход к себе бесил, но что с них взять. И сегодня — все то же самое. Дело в Мастере. Дело все в том, что он-то знает, что сотворен «по образу Его и подобию». Знает, что соответствует замыслу Мастера-Творца о человеке. Только беда в том, что сам художник чувствует — он слаб, нервичен, неуверен. Дюрер дает нам этот контраст: голова в его автопортрете — с тремя золотыми прядями, а он кутается в беличий халат, край которого теребит напряженными нервными пальцами. Рассеченность души гения все равно какого века.

Я здесь, в углу. Я там, распят.
Я пригвожден к стене — смотри!
Горят твои глаза, горят,
Как черных две зари.

А. Блок

* * *

Впервые знакомство со своим собственным двойником происходит в раннем возрасте. Изучение отражения в зеркале — не просто этап отождествления, самоидентификации в жизни человека, это исток, с которого начинается непрекращающаяся до конца дней битва человека за самого себя, борьба с «другим собой», со своим двойником.

Из чего складывается наша оценка того, кого мы видим в зеркале? И где оно, настоящее зеркало? Может быть, то, что мы имеем в виде любого отражающего предмета, есть только подобие, копия настоящего зеркала? А настоящее зеркало, то, что дает истинное отражение, у нас внутри? То, как мы себя видим внутренним взором, то, как мы слышим свой внутренний голос, то, как мы воспринимаем свое «Я», то есть самосознание, самовосприятие, самоотождествление, самоидентификация?

У Веласкеса, Дюрера, Ван Гога, Леонардо да Винчи, Рембрандта в поэтических автопортретах взгляд-наблюдение «со стороны» имеет три различные точки: 1) взгляд-наблюдение со стороны, не мной, зеркалом; 2) «Я» — в оценке самого себя; 3) «Я» — обращенный к оценке тех, кого Пушкин называл «те-те-те и те-те-те» («О какие же здесь сети/ рок нам стелет в темноте:/ рифмы, деньги, дамы эти,/ те-те-те и те-те-те»).

Совсем иное самоизображение — автопортрет Сандро Боттичелли в картине «Поклонение волхвов». Он стоит справа, у края картины. И, если все участники мистерии заняты действием, в центре которого — Мадонна с Младенцем, то он — с ними и не с ними. Сандро смотрит на нас, уже 500 лет соединяя через себя то, что происходит «там и тогда», с нами, с каждым из нас. Удивительно сложное сознание, двойное сознание. Человек с временем и человек «вне времени».

Вот оно — двойное зеркало, когда речь идет о любом опыте самопознания. Одно из зеркал — суть моего внутреннего двойника, а другое повернуто к нам, и время комментирует само по себе: от заколдованного теневого запечатления до часто беспощадного Вечного суда и сострадания.

Гении оставляют нам свои отражения в «зеркале просветленного духа». А мы? Мы либо исчезаем, либо происходит запечатление мгновений наших теней в щелчке фотовспышки. Но всегда повторяется одно и то же. Память в матрицах «зеркал небесных отражений иль в сумерках души».

Для древних зеркальное ли отражение или из глубины прозрачных вод было живой, одушевленной формой, способной отделиться и жить своей жизнью.

В «Портрете» Н.В. Гоголя, в «Необычайной истории Петера Шлемиля» Адельберта фон Шамиссо, особенно в произведениях писателя Гофмана, в «Дориане Грее» Оскара Уайльда зеркальные и портретные двойники живут особенно интересной жизнью. Но о них мы расскажем отдельно.

Мир ислама вообще отвергает теневое подобие в изображении. Во-первых, лика Аллаха никто не видел, а, во-вторых, любое отражение способно поймать душу человека, что нехорошо.

Человек издревле смотрелся в зеркало, чтобы увидеть себя самого. Но зеркало, в которое он смотрелся, давало ему еще некие новые знания о себе самом, новое представление, неожиданное и загадочное.

Глава 3

Память, запечатленная гением

Над утлой мглой столь кратких поколений,
пришедших в мир, как посетивших мир,
нет ничего достойней сожалений,
чем свет несвоевременных мерил.

Иосиф Бродский. Слава

Все знают, что такое искусство. К сожалению, отношение к нему очень часто базируется на понятиях личностного отношения: нравится — не нравится, либо на оценочных суждениях: хорошее или плохое. Почему? А потому, что искусство есть предмет индивидуального потребления: «Ах, мне это нравится, а это не нравится». «Нравится — не нравится» является вопросом питья, закуски, а также выбора невесты. Но когда речь идет о таких серьезных вещах, как искусство, неплохо было бы использовать еще какие-либо критерии оценки, поинтересоваться еще чем-нибудь, то есть подключиться к тому времени, которое тебе предложено. Вот перед нами картина, а на ней изображен человек: он стоит, оперевшись на что-то, у него в руках цветок, и, допустим, нам нравится этот сюжет. Но очень часто мы не задумываемся о содержании этой картины. Мы смотрим поверхностно, на фантик. А ведь то, что заложено в этой картине, крайне необходимо для формирования вкусов, эстетики, для подключения человека к мировой памяти, для научения его тому, что такое жизнь и какой она была. И здесь колоссальная ответственность лежит на той эпохе, которая внушила людям, что искусство должно быть понятно всему народу и художники должны делать то, что понятно всем. А если народ не понимает, то художник никуда не годится. «Мне не нравится!» — ну, не нравится тебе селедка к водке — закуси чем-нибудь другим. Когда речь идет о такой материи, как искусство, то мы должны трепетать.

* * *

Мы видим «Книгу мертвых» в Египте, которая вызывает невероятное изумление как предметами изображения, темами, так и техникой. На этих изображениях есть всё: и как проходил обряд мумификации, и как проходил обряд посвящения, и как танцевали, и какие были музыкальные инструменты, представлены бытовые сцены, есть информация о том, какие были животные.

Всё это — созданный мир себе подобных. Только создан он на определенном условном художественном языке. Но мы его понимаем, хотя этому созданному в камне миру много тысяч лет.

Что это? Потребность запечатления вечности. При прочтении этого мира происходит очень интересный процесс: такое понимание, считывание есть прикрепление себя, своей сущности, сущности своей жизни к стене пирамиды или к картине, к жизни вообще.

Человеку важно быть включенным в этом плане в мировой процесс. Вечная тоска души по бессмертию. Это очень серьезный момент развития человечества. И в этом — трагическая двойственность. Человек знает, что он конечен, смертен, но если ему дан великий дар остановить мгновение и это мгновение совместить со временем и вечностью, то тут же возникает мост от твоего времени к бесконечности. Что может быть величественнее, чем это?

И великие художники запечатлевают для нас блуждание нашей души, не умеющей обрести покой. Ведь этим даром запечатления обладает малое количество художников. Надо иметь очень большое мужество, уметь заглядывать очень глубоко в свое время и не бояться выразить его.

Очень многие люди посещают музеи. Что они там делают? Прогуливаются. Так и хочется задать им вопрос: «Что вы видите перед собой? С чем вас здесь соединяют? С каким миром?»

Искусство очень сильно воздействует на человека в силу тех средств, которыми располагает. Прежде всего — это цвет и объем. Искусство гораздо ближе лежит к чувственной сфере и энергии человека, чем литература и даже кинематограф, в котором мы видим сон.

Если мы можем войти в пространство эзотерического икусства или пространство религиозного искусства, религиозной мистики, каким является искусство древнерусской иконы, то мы приходим к нему с другими критериями «смотрения», нежели в случае контакта с искусством светским. И мы с вами это очень хорошо понимаем, мы это знаем, потому что в эзотерическом искусстве, в отличие от искусства реалистического, европейского, мы соприкасаемся с пограничным миром и миром, параллельным тому, в котором живем сами.

Но есть и искусство XX века, которое пришло со своим особым языком, таким же самобытным, как самобытен язык Китая или язык Индии, или язык эзотерических форм. Об этом сказал в рамках своего доклада в Художественном обществе Маннгейма в 1979 году немецкий философ, один из самых ярких мыслителей второй половины XX века — Ганс Георг Гадамер: «Что означает современное непредметное искусство? Имеют ли вообще еще какой-то смысл старые эстетические понятия, которыми мы привыкли охватывать существо искусства? Искусство модернизма у многих его выдающихся представителей с особенной решительностью опрокидывает экспектацию образа, какую мы имели до встречи с ним. Как правило, от подобного искусства исходит отчетливо шокирующее действие. Что случилось? Какая новая установка художника, порывающего со всеми былыми экспектациями и традициями, тут за работой, к чему это зовет всех нас?» (Гадамер Ганс Георг. История эстетики в памятниках и документах. 1991).

Мы хотим сказать, что все «беспредметное» или «непредметное» искусство тоже требует от человека настройки глаза и чувств на другой лад. Совершенно замечательно об этом написал Иосиф Бродский: римляне ехали по дороге на лошади, римлян несли по дороге на носилках, римляне шли пешком, и с этой точки они видели пространство. Точно так же, с этой же точки, видели пространство люди XIX века. Они тоже ехали на лошадях, они тоже шли пешком, и они, римляне и люди XIX века, видели мир абсолютно одинаково. И совершенно другое дело, когда появились самолет или машина. Вопрос скоростей. Человек начал видеть пространство другим. Мы бы сказали, что это не только другое представление о пространстве и о времени — это видение искусства энергетического. В непредметном искусстве оно тогда действенно, когда закручено пружиной, когда эта пружина своим цветом и сочетанием форм производит впечатление энергетического удара. Например, к таким полотнам, вне всякого сомнения, относятся беспредметные вещи художника-авангардиста Любови Поповой. Это очень энергетические полотна. Любовь Попова показывает зрителю, что такое энергетика беспредметного абстрактого искусства. В динамичной, «кубофутуристической» манере написаны картины «Человек + воздух + пространство», 1913 год; «Портрет философа», 1915 год. Для ее работ характерны остроритмичные, красочно-звучные формы.

А вот что касается Казимира Малевича, то он, помимо всего прочего, очень глубокий философ. Его философия связана с представлениями о построении нового мира, нового общества, создании новых форм этого мира и новых положений вещей. Его «Черный квадрат» говорит о том, что мир художественный — это «мир форм». Не литературных сюжетов, не сценариев в красках, не театра в живописи. Более того, формы бывают активные и пассивные. К активным формам относится квадрат. Это максимальная активность формы в живописи. Поэт Павел Коган писал: «Я с детства не любил овал, я с детства угол рисовал». Он ничего не знает о Малевиче, но он человек того времени — времени активности формы. Он — молодой комсомолец, мышечный. Ему угол интересен, а это тоже форма активности. Куб. Посмотрите одну из самых знаменитых картин Пабло Пикассо «Девочка на шаре». Что вы видите? Девочка стоит на шаре и покачивается, а мужчина сидит на кубе. Наивысшая форма пассивности — это форма круга или шара. Об этом люди знали давным-давно и применяли в мистических изображениях Вселенной, так называемой «Магической геометрии». И это совсем-совсем новое — прочно-прочно забытое старое, что называется или «Системой европейского пифагореизма», то есть магическим значением форм и чисел, объединением двух противоположных начал — предела и беспредельного, или «Нырянием на глубочайшую глубину» очень древней китайской философской системы Ба-Гуа, когда мир состоит во взаимодействии Неба и Земли, мужского и женского начал, где Инь — круг, а Ян — квадрат.

Кроме форм, как говорил Малевич, пассивностью и активностью обладает цвет. Активные цвета: красный и черный. С этой точки зрения «Черный квадрат» — максимально активная форма, выраженная в максимально активных сочетаниях: на фоне белого квадрата находится черный квадрат. Это есть энергетически абсолютно максимальная формула активности, где белое и черное составлены из всех цветов. Вещь эта очень содержательна сама по себе — это гимн беспредметного энергетического искусства XX века. С одной стороны, «Черный квадрат» — это вещь, связанная с древними культурными традициями: пифагорейскими и даоскими, то есть имеет начало, берет истоки в древности, здесь наличествует базис. А с другой стороны, это крайне максимальная форма эмоционального выражения. Для Китая черный цвет есть цвет света. В Европе или в эзотерической культуре свет изображается золотом. Так почему в Китае он черный? Потому что максимальная концентрация света — это черный цвет. Это космическая концентрация. А белым, в этом же языке, выражаются безначальность и бесконечность. Концентрация этих двух цветов, как бездна, как окно в бездну, беспредельность и бесформенность. В китайской философии Дао формы не имеет. Когда вы смотрите подлинник Малевича, вы глазам своим не верите и понимаете, что белого цвета там нет. Этот «белый» цвет составлен из мельчайших точечек всего цветового, что есть в мире, но вы воспринимаете его белым. Что интересно, у самого Малевича не получилось повторно изобразить «Черный квадрат». Он написал несколько копий, но ни одна из них не дотягивает до подлинника 1913 года.

Напомним читателю, что «Черный квадрат» был создан в результате работы Казимира Малевича над эскизами декораций к опере М.В. Матюшина «Победа над Солнцем», поставленной 3 и 5 декабря 1913 года. В начале XX века многие художники-авангардисты работали над созданием декораций, костюмов, дизайна в целом для театральных постановок.

* * *

К XX веку театр в России приобретает все большее значение. Но если в Западной Европе театр являлся одной из самых главных традиций в культуре вообще и был практически непрерывен, только менялся от эпохи к эпохе, то в России в Средние века театра не существовало. Если говорить об общественном театре, то он появился у нас только в XVIII веке. Но были скоморохи. Музыканты, танцоры, певцы и дрессировщики медведей устраивали на городских и рыночных площадях балаганы — шутейные представления очень простого содержания, доступного самым низким слоям населения (изначально балаганы — это временные деревянные постройки для жилья бродячих актеров и одновременно помосты для увеселительных, ярмарочных зрелищ). Актерские маски называли «харями»: человека, что носил их, называли лицедеем. Актеры находились на низшей ступени социальной лестницы, это были, как правило, нищие бездомные люди, зарабатывающие себе на пропитание, общество их принимало только как лицедеев, и даже после смерти им не находилось места — актеров хоронили за чертой кладбища. В XVII веке появился царский театр, просуществовавший всего несколько лет, и театр крепостной, который получил широкое распространение среди ближайшего ко двору боярства, надолго обосновавшись в русских усадьбах.

При Петре I была попытка создания публичного театра. Петр даже построил на Красной площади в Москве для него здание, получившее название «Комедиальная храмина». Но этот театр по своей сути больше напоминал балаганные представления.

В 1750-е годы сложился Императорский театр, содержавшийся на деньги двора, и впервые у актеров этого театра появился чин: «придворный артист Е. И. В. (Его/Её Императорского Величества)». Настоящий же профессиональный театр был создан в старинном русском городе Ярославле Федором Волковым. Это были времена Елизаветы Петровны, которая в 1756 году подписала указ об учреждении русского театра.

Театр в России получил распространение, но его функции были далеки от образовательных и воспитательных, пьесы ставились скорее для «собственного удовольствия и увеселения народа». И лишь в XIX веке театр становится социальным, заставляет думать, видеть мир, оценивать окружающую действительность: на сцене ставят Фонвизина, Пушкина, Лермонтова, Гоголя, Островского. Русский театр становится выразителем социально-общественных идей. На рубеже XIX и XX веков появляются такие знаменитые на весь мир имена, как К. Станиславский и В. Немирович-Данченко. И именно здесь, в русском театре конца XIX — начала XX века, получает воплощение театральный авангард: происходит переосмысление точек восприятия мира, сравниваются эстетические итоги века уходящего и эксперименты века грядущего. Научно-технический прогресс, революции и мировые войны вызвали перелом в сознании людей, перелом в культуре — и это нашло отражение в эстетических экспериментах художников-авангардистов.

Сегодня кроме театра у человека имеется очень много разных средств познания мира и себя. Театр — это одна из форм познания, если можно так сказать. А когда-то античный театр был единственным средством, главным, основополагающим для общества в плане воспитания и формирования гражданской зрелости всего населения.

Греческий театр родился на рубеже VI и V веков до новой эры, и его основоположником, безусловно, был супергений всех времен и народов Эсхил, который создал театр, маски, актеров, хор. И этот театр не следовал из мистерий, не вытекал из них, хотя имел некоторые элементы.

Возьмем в качестве примера древние культуры, потому что они оставили нам некий культурный эталон, клише, и мы не можем от этого никуда деться.

Какие римляне были гениальные актеры! Как чувствовали себя на сцене, если величайший политический деятель, первый римский император Октавиан Август, зная, что умирает, на своем последнем ужине сказал гостям: «Комедия моей жизни подошла к концу. Может, вы поаплодируете мне, если вам понравилось данное мной представление?» И это сказал человек, который больше 35 лет был правителем большого государства, империи, создателем законов и очень серьезным человеком! И Цезарь тоже был режиссером своей смерти. Мы в этом глубоко убеждены и можем это доказать. Цезарь, гениальный полководец, государственнй деятель, утвердивший свое автократическое правление в Риме, сам организовал свое убийство. Умирая от рака и понимая, что в нем осталось очень мало жизни, он пустил слух о якобы готовящемся заговоре против него самого. И когда ему кидали записочки с предупреждениями об этом, он ни одной не развернул. Он собственными руками собрал вокруг себя заговорщиков и позволил им себя убить. Что сделал Цезарь, когда это убийство произошло? Он упал, затем поднялся и расстегнул свою тогу, но не для того, чтобы было легче дышать, а чтобы, снова падая, упасть красиво. Великие римляне сами были сценаристами, режиссерами и актерами своих жизней. И говорили: «Главное — это последняя реплика, с которой ты уходишь со сцены».

Основа любой театральной драматургии лежит в произведении высокой античной трагедии и комедии. Античная культура очень различала эти две формы. И когда давали трагедию, то вслед ей обязательно давали комедию. В тот же день. Представления шли друг за другом. То колоссальное напряжение, которое испытывал зритель, участвуя душой в том или ином действии, происходящем на сцене, должно было быть снято. Зрителю надо было дать расслабиться, отсмеяться, создать разницу температур. Образно говоря — контрастный душ: душ горячий — душ холодный. Для эмоциональной и психологической разрядки приглашали на сцену мимов, которые были вульгарны, надевали на себя вульгарные маски, привязывали фаллические предметы и давали комическое представление.

Нам очень трудно представить себе греко-римскую цивилизацию, их жизнь и нравы. Но, судя по тому, что они предлагали зрителю, к чему они апеллировали и что считали в театре главным: игру актеров или зрителя, становится ясным, на первом месте был ЗРИТЕЛЬ. Театр для того и существовал, чтобы он, ЗРИТЕЛЬ, участвуя в ситуациях, осознавал себя, мир, свою духовную жизнь и свои отношения. У гениального режиссера Ингмара Бергмана была теория «интимного театра». К нашему разговору эта теория имеет прямое отношение, ведь все это лежит в области человеческой психологии и сознания. Ингмар Бергман считал, что и в кино, и в театре главное — зритель. В темном зрительном зале сидит очень много народа, и действие на сцене должно принадлежать всем и каждому отдельно. Возьмите греческий театр. Как он был выстроен архитектурно? В виде подковы, амфитеатром, чтобы действие, происходящее на сцене, было адресовано всем и каждому — вот как это было важно для общества. Мы не думаем, что сейчас театр может так сильно воздействовать на душу и иметь такое педагогическое и психологическое воздействие, как это было в те далекие времена. И это притом, что человеческие страсти вообще не изменились. Они остались консервативными. А это очень важно.

Помните, как царь Эдип, творивший зло, дознавался, почему с ним такое происходит. Напомним, что, будучи новорожденным ребенком, Эдип был обречен собственным отцом на смерть, потому что оракулом Эдипу было предсказано стать отцеубийцей. Что, собственно, и произошло: Эдип убил своего отца, женился на собственной матери, у них родились дети. В наказание за совершенное Эдипом преступление боги послали моровую язву на Фивы. И когда в стране Эдипа начался мор, он начал искать, кто в этом виноват: другая страна, что занесла инфекцию, колдуны, еще кто-то? Когда Эдип докопался до истины и понял, что корень зла — в нем самом, он сотворил над собой и своей совестью высший суд. Произошел самоанализ. Как такого самоанализа недостает нашим современным владыкам мира, от которых зависит благополучие всех! Так что этот сюжет актуален во все времена.

Возьмем такой хрестоматийный пример, как «Гамлет». Шекспировский герой Гамлет все думал, каким образом ему объяснить матери и Клавдию, что они сделали с его отцом. И придумал показать им театр, театр как отражение их преступления, как зеркало. Он поставил перед ними «зеркало», и они увидели в нем себя: «Зрелище — петля, чтоб зааркáнить совесть короля» (У. Шекспир. Гамлет, акт II / Пер. М. Лозинского). Вот что такое театр и что он делает с нашими душами. Театр — это зеркало, но как говорил Маяковский: «Не отражающее, а увеличивающее стекло».

Не так давно в ТЮЗе шла постановка пьесы французского драматурга Жана Ануя «Медея». Потрясающий древнегреческий сюжет захватывает, берет за душу, понятен был древнегреческому зрителю тогда, близок современному зрителю сегодня. Страсть и любовь. Медея всю себя отдает ради Ясона. Герой-то она, а не он. Она детей ему родила, она предала свою страну, свою семью — во имя своей страсти, во имя своей любви, и что же? «И вот, сижу я в театре. То, что происходит на сцене, имеет ко мне хоть какое-то прямое отношение? Нет. Я обыкновенная домашняя курица со своими проблемами, детьми, только что крестиком не вышиваю — у меня времени на это нет. Я — Антимедея, и во мне нет этих страстей, той одержимости страстью, но если бы вы только знали, как я переживала, как страдала, как негодовала, как мне было их всех безумно жаль: и ее, и Ясона, и детей». Герои оказались в этой страшной ловушке страстей в давно прошедшем времени, но разве сегодня эта ловушка куда-нибудь исчезла? Нет, никуда. Потому что природа страстей находится в такой глубине, которую психологи называют «хтонической глубиной», живущей где-то там, в очень глубоких пластах нашего древнего сознания. Для греков, если к ним снова вернуться, было очень важно разрушить это самое хтоническое сознание, сделать человека властителем своих страстей, превратить его из игрушки своих страстей в того, кто обуздывает себя, кто создает великую гармонию с Логосом, ибо мир и есть Логос. И поэтому то, что совершила Медея, или то, что сделал Эдип, сознательно или несознательно, — это плохо не только по отношению к окружающему миру. Это было разрушение Логоса.

Театр — это не только то, что происходит в зале или на сцене, как говорил знаменитый драматург — весь мир есть театр, и люди в нем актеры (У. Шекспир. Как вам это понравится, акт II, сцена VI: «Весь мир — театр, в нём женщины, мужчины — все актеры»).

Человек становится актером до того, как он осознает, что он — человек. Трехлетний ребенок устраивает своим родителям непрерывный театр. Ребенок всегда связан с театральным действием: он изображает серого волка или космонавта, или кого-то еще. Как говорится, «Ты в сновиденьях мне являлся» (А.С. Пушкин. Евгений Онегин. Письмо Татьяны к Онегину). Представьте ситуацию, когда ребенок устраивает своим родителям скандал с падучей, слезами и криками? Если родители не говорят ему, что он устроил им спектакль, а просто поворачиваются и выходят, то ребенок, как только понимает, что они не вернутся, мгновенно перестает орать, встает на ноги и тут же переключается на что-то другое. То есть потеря зрителей моментально прекращает и театральное действие (помните теорию И. Бергмана: главное в театре — зритель?).

Из каких истоков происходит этот театр? Мы все любим диалоги, шутку, общение, представление. Мы — наследники этого игрового сознания, природа которого неизвестна. Если бы мы знали ответ на этот вопрос, то знали бы, откуда пришли. Как хорошо, что есть тайна и мы двигаемся по пути загадок и вопросов.

* * *

В отличие от театра, кино имеет крупный план, и в нем очень важна пауза. Героиня молчит и только смотрит на героя, а мы в этот момент как раз рыдаем. Кино — это сон, как правильно сказал основоположник одного из направлений глубинной психологии психиатр Карл Юнг. Это галлюцинация. Автору очень близко черно-белое кино, потому что оно действительно похоже на сон. В кино, в отличие от театра, мы видим изображение мира, с которым не имеем ничего общего. Белые телефоны, красивые женщины, любовь миллионеров, машины. Мы абсолютно убеждены, что эти эталоны кино очень влияют на индустрию и на жизнь. Также как литература и театр, они формируют пространство социальное, а не социальное пространство формирует их. Кино формирует душу и сознание гораздо больше, чем любой другой вид искусства. Не только потому, что оно массовое — не в этом дело. А потому, что у него другие возможности. И своя колоссальная магия. Что мы всегда говорим? Магия кино. Кино может заняться раскрытием сознания, чего театр сделать не может и чего не может сделать живопись и даже литература. Может быть, за очень редким исключением, литература может подойти к этому, скажем, в творчестве Достоевского. Но только кино своими средствами и возможностями может открыть тот мир, который оно хотело бы показать. Эти возможности до конца еще не использованы. Кинематограф находится на пороге открытий. Он будет демонстрировать не только действия людей, но и кинодраматургию, которая сможет по-настоящему показать мотивацию поступков человека.

Наше с вами сознание сложно-монтажное. Оно одновременно может показывать те процессы, которые происходят в нашем сознании параллельно, одновременно, пересеченно. Мы читаем книгу и при этом испытываем чувство голода. Мы запросто можем обдумывать, что сделать: дочитать книжку или пойти и что-нибудь приготовить, чтобы утолить голод. Это и есть монтаж, в котором живет человек. Наше сознание необыкновенно интересно — оно слоисто, как веретено, и только кино еще не показало этого. Кино только подошло к этому процессу, но не может еще показать человека таким, какой он есть: в своей тайне и многослойности, в своем хаосе, в своей мотивиронности и немотивированности жизни. Кино прошло через фазу описания и немножко анализа, у него еще не было глубокого погружения, подобно тому, как человек погружается в сон, но оно имеет для этого все основания.

Мы считаем, что величайший, непревзойденный человек, с которым связан кинематограф, — это Чарли Чаплин. Мы все вышли из гоголевской «Шинели», а кинемотограф вышел из чаплинского образа: пронзительно одинокого человека, который идет по дороге и мечтает о том, что ему хочется стать джентльменом, иметь котелок, усики, трость. Но он не может — ни одной его мечте не суждено осуществиться.

Любое искусство замечательно, когда оно больше себя. Микеланджело потому и Микеланджело, что он больше скульптуры, а Рембрандт больше живописи. И Чаплин больше кинематографа. Великие кинематографисты, заглянув в глубины человеческой души и психики, всегда смотрят на то, какими узами, осознанными или неосознанными, мы связаны с миром. Не с тем миром, в котором живем, а с тем, что больше нас, и с тем, в котором жили до нашего рождения. И у Бергмана, и у Тарковского, и у Феллини это прослеживается очень отчетливо. Мы всегда находимся внутри того, что показывают эти мастера в кино. И даже не столько мы сами проникаем в это пространство, сколько они показывают то, что внутри нас.

В качестве примера возьмем «Иваново детство» Андрея Тарковского, поставленное по рассказу Владимира Богомолова «Иван» (1962 год). История создания этого фильма известна. Тарковский был в тот момент совсем молодым человеком, но когда вы соприкасаетесь с этим фильмом и он входит в вас, то вы понимаете, что он, как и Иван, вырастает до фигуры Змееборца — Георгия Победоносца. Отрок, который побеждает мировое зло самим фактом своего существования. Мы будем с вами в этой книге говорить об изображении детей в искусстве, поэтому сейчас ограничимся тем, что приведем слова самого Андрея Тарковского: «В "Ивановом детстве" я пытался анализировать… состояние человека, на которого воздействует война. Если человек разрушается, то происходит нарушение логического развития, особенно когда касается психики ребенка… Он (герой фильма) сразу представился мне как характер разрушенный, сдвинутый войной со своей нормальной оси. Бесконечно много, более того — всё, что свойственно возрасту Ивана, безвозвратно ушло из его жизни. А за счет всего потерянного — приобретенное, как злой дар войны, сконцентрировалось в нем и напряглось». Вспомните сцену, где Иван рассматривает гравюру Альбрехта Дюрера «Апокалипсис». Иван действием своего сознания, именно отроческого и вместе с тем космического, как и его тень на стене, вырастает и становится воином этого действия. Именно так отрок воспринимает войну и смерть матери. Он разрастается на ваших глазах, и вас охватывает озноб, когда вы это видите. Совершенно не случайно гравюра Дюрера оказывается именно в руках ребенка. Режиссер Андрей Тарковский — новатор, он всегда выходит за пределы правил, нарушает условности. Но новаторство требует смелости — и в этом смысле Андрей Тарковский, кинорежиссер, умеющий творить смелое, никем еще не изведаннное пространство. «Апокалипсис» Дюрера в фильме «Иваново детство» отсылает нас не просто к теме безысходности в судьбе маленького героя, он отсылает нас к теме конца света. А для Андрея Тарковского это очень значимая тема, и она еще не раз будет звучать в его картинах.

Возьмите «Репетицию оркестра» (1978 г.) режиссера Федерико Феллини: разве не показана здесь природа апокалипсиса? Феллини анализирует природу конца. Те, кто не слушает музыку сфер, разрушают симфонию мирового звучания. Наступает хаос и разрушение. Дерущиеся музыканты не останавливаются до тех пор, пока не видят смерть. Их не останавливают глухие удары в стену, они не слышат предупреждающего гула, не останавливает их и сам шар, проломивший стену. И только тогда, когда оркестр видит погибшую арфистку, музыканты соглашаются с дирижером и наконец безупречно играют отрывок музыкального произведения. Теперь они молча готовы слушать режиссера, но у Феллини новый поворот: экран становится черным, язык меняется с итальянского на немецкий, а у зрителя возникает ощущение, что дирижирует оркестром Гитлер.

Кино формирует душу. Посмотрите, какая тяга к кино в эпоху «оттепели», к кино Феликса Миронера и Марлена Хуциева «Весна на Заречной улице». Кино создает эталоны. В театре звезду создать очень трудно. Можно, но малого диапазона. Звезда — это эталон общества. Когда у людей нет своей личности, они хотят быть похожими на Мерлин Монро, на Грету Гарбо.

Посмотрите индийское кино. Это великое действо. От индийского актера всегда очень много требовалось — прекрасная физическая подготовка, умение петь, танцевать. Почему? Потому что в любом индийском кино, а оно очень демократичное, есть три уровня реальности. Первый уровень — бытовой, показывающий и быт бедняков, и переизбыточное богатство домов людей удачливых. Индийцы показывают это все, согласно своей глубочайшей философии: сегодня ты бедняк-бродяга, а завтра станешь падишахом. Зритель в их фильмах перерождается, реинкарнирует, проживает не одну жизнь, потому что всё, что он видит, реальностью не является. Индийское кино говорит: «Почитай свою мать, люби ее. Это, может быть, твоя мать, но, может быть, и не твоя. Но она — мать». В европейском кино говорят обо всем, а в индийском если и говорят, то о бытовых вещах. Когда речь идет о любви, о чувствах, об эмоциях — они поют. Это второй уровень. Они никогда не говорят, когда речь заходит о высоком, о чувствах, потому что как можно говорить на одном языке о булке, которую ты купил за углом, и о любви? Тут надо только петь. И актер поет по определенным канонам, которые знает весь народ. Народ воспитан так, это его культура. А когда речь идет о самом главном выборе — о судьбе, в индийском кино начинают танцевать. Это третий уровень реальности. Мир индийцев создан через танец. Танец — это высшее, это позы, движение, символический язык тела, выражающий связь с космосом, который поднимается еще выше, а уж там, где индийские актеры танцуют и поют одновременно, — это просто восторг! Индийское кино — философское, даже если оно очень примитивное. И оно очень резонирует в сердцах нации. Индиец может отказать себе в куске хлеба, а билет в кино купит. Но если в европейском кино очень много элитарности — не всем понятен Феллини, спросом пользуется кино доступное, простое, то в Индии киноискусство понимают все — оно народное. Для нас всё это кажется смешным, а для них — нет. Они так видят мир. Через зеркало кинематографа.

Кино может показать главное: реальность в невидимом, а в видимом — тень этой реальности. Мы же не обнажаем себя? Мы в маске. И мир — в маске, и события — в маске. Мы не знаем, что находится за кулисами, а что — в невидимом мире.

Возьмем фильм «Матрица» — это, безусловно, фильм, который или нравится, или нет. В зависимости от того, соответствует ли он потребностям зрителя. Автор к этому фильму относится очень серьезно, потому что сейчас разговор о матрицах приобретает самый что ни на есть актуальный и глубокий смысл. Рассматриваться стали матрицы как конструктивная основа и генетики, и психологии, и целого ряда наук. Даосы вообще рассматривали Дао как матричный набор. И это очень серьезно. Поэтому данный фильм представляет собой очень серьезный разговор о матрице как о такой роковой идее времени.

* * *

Мы никогда не знаем главного — наших истоков. Они всегда теряются где-то в глубине веков. И когда мы смотрим на картинку мамонта, нарисованную на стене пещеры, то не можем знать, кто ее нарисовал и зачем. Мы можем удивляться, глядя на наскальную живопись, но ответить себе на этот и другие вопросы почти нереально.

Человек осознал себя тогда, когда увидал свое отражение в воде. Он смотрел в воду и не понимал. И вдруг, о чудо! Понял, что это — он. Это и есть прорыв в сознании. Невероятный, немыслимый. Когда это случилось? Как? Существует теория цивилизационных ступеней, отделяющих нас от нас самих в другой цивилизации.

История о человеке, увидевшем себя, точнее, свое отражение в воде, имеет глубокий философский подтекст. Не случайно китайцы изображают себя стоящими на мосту и отраженными в воде. Это означает, что человек прошел свой путь до середины. Он смотрит и видит свое отражение в бесконечности, где верх есть низ. А его отражение в воде беспристрастное, безупречное, холодное, и человек знает, что плюнуть в воду нельзя, а если он это сделает, то получится, что он плюнет в самого себя, и тогда его изображение растворится.

Взаимоотношения Бога и человека есть взаимоотношения человека творящего и человека играющего. Помните выражение «Боженька в макушку поцеловал»? Вот, чтобы заниматься искусством, надо быть поцелованным в макушечку. Но не каждый может вынести этот дар. Многие сгибаются под его тяжестью. Что касается вопроса: «Зачем нужно искусство?» то на этот вопрос нет ответа, но, наверное, можно сказать так: чтобы быть человеком. Человек связан с Творцом и творчеством. Его сотворили, и он творит. Художники эпохи Возрождения XV века называли себя горшечниками. Мастерами-горшечниками, потому что из черепка был сотворен человек. Они и Бога называли Мастером, потому что он — Тот, кто сотворил.

Чувства человека очень часто определяются через его поступки. И если человек поступил очень плохо, это не снимает с него этических или моральных проблем. Какие демоны живут в человеке, если он может посягнуть на ребенка?

Наше сознание необыкновенно интересно, и всё переплетено в нем. Мы далеко ушли от животного, но инстинкты никуда не делись, они остались нетронутыми: страх, размножение, голод. Сколько их было изначально, столько в нас полностью и сохранилось. Но это не показатель. Может быть, эта хтоника присутствует постоянно. Мифологическое, то, что Юнг назвал архетипом, дает нам возможность понимать символы и образы природы. И мы переживаем это сознание до сих пор. А когда мы перестанем его переживать, значит, у нас вырос шестой палец. И если мифологическое сознание связывает нас с Природой, а не с инстинктами, то сознание религиозное делает нас частью нравственного института. У нас появляются слова: душа, нравственность, мы ориентируемся на эти ценности, понимаем, что должны быть терпимее, должны быть жертвенны, потому что мы — часть этой Гармонии.

Если вам повезло и вы можете исповедоваться, то в момент исповеди вы проигрываете всю свою жизнь перед лицом Того, кто является Проводником. Вы оказываетесь сценаристом своей жизни. В искусстве есть такое понятие, как «остановка времени». У Ахматовой есть потрясающие стихи:

Что войны, что чума? — конец им виден скорый,
Их приговор почти произнесен.
Но кто нас защитит от ужаса, который
Был бегом времени когда-то наречен?

Анна Ахматова, 1961

Какие удивительные строки. Бег времени неумолим, он стирает, стирает, стирает всё на своем пути, но стереть всё нельзя. Мы будем беспамятны, если всё будет стерто. Нас не будет. Мы не будем помнить

НИ-ЧЕ-ГО. Человек и есть память. Память историческая, память Вселенская, память Космическая, память прошлого, память своей семьи, память своей жизни. Памятей очень много, и все они нужны и важны. Если выпадает какая-то память, то мы становимся неполноценными. Есть генетическая память, есть память места, где вы родились, есть память мира, в котором мы живем, есть память наших родителей. И те избранники, и те счастливцы, кто пришел гением в этот мир, могут запечатлеть память человечества в своих произведениях. Мы считаем, что искусство — это есть запечатленная гением память человечества.

Любовь Попова. Человек + воздух + пространство. 1912 г.

Любовь Попова.
Портрет философа, 1915 г.

Любовь Попова.
Живописная
архитектоника.
Красное с синим. 1918 г.

Казимир Малевич. Чёрный супрематический квадрат. 1915 г.

Антон Лосенко. Фёдор Григорьевич Волков. 1763 г.

Чарли Чаплин в фильме «Чемпион». 1915 г.

Кадры из фильма Федерико Феллини «Репетиция оркестра». 1978 г.

Танец в индийском кино — это высшее, это позы, движение, символический язык тела...

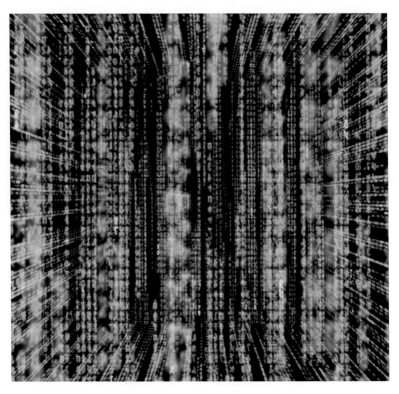

«Матрица». Режиссёр Лана и Эндрю Вачовски. 1999 г.

Часть II

«Теперь о тех, чьи детские портреты...»

Засвети же свечу
на краю темноты.
Я увидеть хочу
то, что чувствуешь ты
в этом доме ночном,
где скрывает окно,
словно скатерть с пятном,
темноты полотно.

Иосиф Бродский.
В темноте у окна

Глава 1

Античность. «Цвет нации»

Всё начинается с эпохи Возрождения. Именно картинный потенциал начинает формироваться, дифференцироваться с эпохи Возрождения. И тут-то и тогда-то мы начинаем рассматривать особо наш предмет разговора — включение ребенка в искусство: чем оно объясняется, с чем оно связано, какие проблемы группируются вокруг него. Эта проблема возникает с эпохи Возрождения, тогда же, когда начинается разделение искусства на виды и жанры.

Но начнем мы все-таки с Античности, потому что проблема изображения ребенка в Античности и в Средние века тоже необыкновенно интересна.

Искусство античной Греции все свое внимание фокусирует на изображении человека. Человек есть мера всего, и человек есть центральный объект изображения в искусстве. Через человека осмысляется и природа, и предмет. Если предмет изображается в искусстве, то как осмысляющий, смысловой. Например, диск в руке дискометателя, копье в руке метателя копья, змея, шлем на голове Афины Паллады. Вот он — этот предметный мир.

Природа не изображается вообще, то есть мы не знаем этих изображений, а потому наивно предполагаем, что не изображается, потому что человек и есть природа, потому что он постоянно в природу превращается и природа превращается в него. Это есть идея некоего единства процессов. Поэтому юноши превращаются в кипарисы, или в гиацинты, или в нарциссы, а девушки превращаются в Хлою, хмель или Дафну (была превращена богами в лавровое дерево). Или возьмите миф об Актеоне, которого Артемида превращает в оленя. И эти процессы воссоединены в античном сознании, в них все связано, сгруппировано вокруг принципов сознания мифологического, эти процессы не расчленяют природу, она познается через человека.

Идеально гармонически сложенный человек — это есть идеально выраженная гармония Логоса, мира. В античном искусстве, тем не менее, не изображаются люди, а изображаются герои. То же самое, что является предметом изображения в драматургии: герой или лицо мифологическое. И в античном искусстве изображается человек в определенном возрасте. Никогда не изображается младенец, никогда не изображается старик, а именно человек в определенном возрасте.

Дело в том, что есть изображение людей и есть изображение персонажей. Может ли мифологический персонаж иметь возраст? Конечно, нет, никогда. И причина, по которой он не может иметь возраста, великолепно проанализирована в очерке Гуревич, посвященном нибелунгам. Эту работу можно считать классической.

А что касается того, как в античной культуре изображают человека, то как раз об этом мы будем с вами говорить. Искусство обращается к изображению человека, и это есть изображение эфебов, это изображение героев Олимпийских и Пифийских соревнований. Это не изображение людей, ведущих войну, это не изображение граждан города, это именно изображение эфебов. Кто такие эфебы?

Эфебы — это юноши. От момента формирования античного полиса, античной полисной системы — это где-то рубеж VII–VI веков до новой эры — до момента создания регулярной армии Александра Македонского, то есть до рубежа IV века новой эры, античная система выражает себя через полис. И все мальчики, начиная с восьмилетнего возраста, мальчики всех полисов вступают в гимназию, их забирает государство с 8 лет до 21 года.

Гимназия имеет 4-тактное построение, 4 этапа: 1-й этап — 8–12 лет; 2-й этап — 12–15 лет; 3-й — 15–18 лет; 4-й — 18–21 год. Юноши, которые изображаются в искусстве, — это эфебы 3-й и 4-й ступени, это те, кто имеет право участвовать в Пифийских играх, — играх юношей до 18 лет, и те, кто принимает участие в Олимпиадах, — 18–21 год.

Античный скульптор изображает юношей-эфебов: они дети, но они и гимназисты. Покровителем этих юношей считался Аполлон. Одно из понятий об Аполлоне — это понятие эфеба, то есть понятие света, юноши-эфебы — это цвет нации, будущее нации, озарение нации, поэтому изображаются в искусстве в основном эфебы.

Давайте посмотрим на уцелевший, сохранившийся фрагмент фриза Парфенона. Здесь изображены эфебы-мальчики, всадники.

Эфебы очень интересно себя представляли — они натирали свое тело оливковым маслом, и тело становилось бронзовым. Волосы покрывали серебряной пудрой, и их головы были серебряными. Ходили эфебы в коротких плащах. И они имели право, вернее, были удостоены чести обнажения, потому что стыдиться следует дурной природы, некрасивого тела, это большой грех и порок. А когда у человека прекрасное сложение, то это есть гордость и красота. Поэтому эфебы были удостоены чести ходить обнаженными, натертыми бронзовой краской и носить белые шерстяные плащи, которые называются хламидами. Эфебы — это идеально развитые, идеально сложенные юноши.

На фрагменте перед нами — юноша, эфеб, который и является главным предметом и главным героем изображения в античном искусстве.

У всех эфебов есть общая черта — они подобны друг другу. У них нет никакого психологического или социального различия. Они все подвергались одинаковому обучению, одинаковым тренировкам. Поэтому здесь внимание обращается на то, на что обращалось внимание педагогической культуры того времени, — на коллективное, общее идеальное сознание нации, на целостность, которая выражается не только в универсальной, демократической общей подготовке, но также в абсолютно идентичных тренировках. Это настолько глубоко и важно, что летосчисление в античном мире идет через Олимпиады — раз в 4 года весь мир собирается на Олимпиаду и выравнивает себя по образцам, по эталонам. Все подтягиваются под определенные нормы: этические, поведенческие, физические, психологические.

Здесь — задача создания коллектива физически прекрасного, ибо он соответствует понятию идеального Логоса, и духовно-психологически единого.

В 1896 году в святилище Аполлона в Дельфах была найдена бронзовая статуя юноши — «Дельфийский возничий». Ученые датируют ее 478–474 гг. до н. э. Скульптура выполнена в человеческий рост и изображает юношу-возничего, который стоит на колеснице и правит квадригой лошадей. Этот молодой человек — победитель Пифийских соревнований. Он еще очень молод, но уже состоялся. Он уже победитель. Юноша напряжен, но при этом необыкновенно спокоен, сосредоточен, нет лишних эмоций, нет лишних движений. Мы сознательно выбрали эту скульптуру, чтобы в дальнейшем вы могли сравнить ее с портретами юношей XVII века. Достоинство «Возничего» заключается в том, что это «Я», которое «МЫ», и «МЫ», которое «Я». Потому что этот юноша — идеальный образец того, каким должен быть юноша. Он, во-первых, идеально изображен художником этнически, выражает этнический идеал Античности, мы его называем условно античной красотой. Он выражает идеал — все должны быть, как он; он должен быть этническим идеалом, отсюда — все должны быть как этнический идеал. Это понятие единого, общности, единицы.

Во-вторых, этот юноша — идеальный эфеб — он победитель в самом опасном виде спорта — соревнованиях на колеснице. Он удостоен самой высокой чести, он показан как идеальный эфеб, как идеальный член этого юношеского коллектива. Он представлен как эталон.

Все юноши, независимо от того, из каких семей они были, проходили одну и ту же систему обучения, получали одно и то же образование, потому что защита полиса и слава полиса зависели от того, на каком уровне находилось мужское население. Кроме этого каждый мужчина изучал историю, то есть мифологию, каждый должен был быть готовым к тому, что называется античным пиром, к диалогу, который был экзаменом на общую культуру. Эфебы физически развивались, изучали арифметику, письмо, все абсолютно обучались музыке.

Есть очень редкий, уникальный подлинник: фрагмент изображения мальчика-эфеба, не эфеба 3-й ступени, а эфеба-мальчика, ребенка-эфеба, который играет на инструменте Аполлона — кифаре. Кифара — это струнный щипковый музыкальный инструмент, самая распространенная в Древней Греции разновидность лиры. Эта кифара — семиструнная. 7 — число священное, семь струн было в кифаре бога Аполлона, и бог Аполлон, проводя рукой по кифаре, создавал созвучие Логоса, Вселенной, Космоса. И поэтому все эфебы, вся армия Аполлона играла на кифаре. Все население было музыкально и физически подготовлено одинаково. И чтобы друг от друга не отстать, они выравнивали себя через Олимпиады.

Просуществовало всё это очень недолго. Как только начали рушиться полисы, разрушилась и полисная система воспитания.

Александр Македонский организовал регулярную армию с обозначенным сроком службы, и всей системе воспитания эфебов пришел конец! Но подлинная Античность как раз связана с этой педагогической подготовкой юношей. Этот юноша и есть главный предмет изображения в античном искусстве, не считая мифологического ряда.

Мы берем именно античную систему, потому что она необыкновенно интересно экспонируется в искусстве. Потому что, когда мы с вами смотрим на произведения искусства, мы видим их, принимаем их как самостоятельные памятники искусства. Но можно смотреть и по-другому: посмотреть, какая содержательная сторона стоит за античным искусством, а она, оказывается, необыкновенно глубоко информативна.

Рим жил в другой системе ценностей, в другой системе образования, но так как это никак не отражено его искусством, то и останавливаться на этом мы не будем.

В более позднюю эпоху, в эпоху формирования эллинизма, когда великой эллинской культуре пришел конец, начинает формироваться эллинистическое государство, начинает формироваться эллинистическая культура.

В жесткой формуле Аристотеля кто имеет право на изображение? Не ребенок, не старик! Как писал Аристотель: «Ребенок — недочеловек, старик — не человек». Только юноша, только эфеб, только цвет нации имеет право на изображение в искусстве.

Эллиниец не отступает от этих правил. Но в эллинизме, особенно Александрийского периода, наблюдается появление не только жанровых основ в искусстве, но и изображения стариков и детей. Это появление стариков и детей в искусстве, особенно в искусстве Александрии, характерно, потому что александрийцы совершенно не имеют одной из тенденций некоего, может быть несознательного, пародирования героической эпохи. Они принципиально антигероичны.

Скажем, они изображают Зевса пузатеньким младенчиком. Он сидит, а нимфа — его кормилица, его воспитательница — держит рог изобилия, а он лакает. Какое унижение для такой персоны, как Зевс!

Зевс в мифологии грозен, он бык, а тут он вообще пухлявый младенец, которого вскармливают. Тут есть такая инверсия, инвертирование героического лица. Здесь присутствует совсем иное понятие о человеке. Это полудетский роман о полудетях. Акцентируется внимание на развитии эмоций, чувств в подростковом, полудетском возрасте. Именно Александрия рождает детский жанр в искусстве.

Александрия обеспечила скульптурой детства Европу вплоть до сегодняшнего дня. Наши детские сады все обеспечены Александрией. В них во всех есть образцы и копии александрийских статуй.

Мы добавили к возрастному моменту только пионера с барабаном и горном, это следующий возрастной момент в искусстве. Так что мы обеспечены Александрией и небольшой шаг сделали сами, чтобы потом уже перейти к девушке с веслом. У нас эта линия выстроена безупречно.

Чем характерно рождение александрийского детского жанра? Новым культом, новой мифологией, мифологией богини Гигиеи. У Асклепия — бога медицины и врачевания — на старости лет родилась дочь. Ее звали Гигиея — богиня здоровья, изображали ее в виде молодой женщины в длинном одеянии, кормящей из чаши змею. Родилась богиня педиатрии, родилась наука педиатрия. Богиня Гигиея стала покровительницей детей и педиатрии. При храмах богини Гигиеи и садах богини Гигиеи эти дети и начали изображаться. В своей монографии «Греческая скульптура» Владимир Дмитриевич Блаватский пишет: «...в жанровой скульптуре эллинистического времени весьма видное место занимают изображения детей. Это обращение скульптуры к изображению детей является большим новшеством. Искусство эпохи архаики и классики уклонялось от имеющих самодовлеющее значение изображений детей, и особенно младенцев... В ряду этих жанровых изображений детей заслуживает особого внимания дошедшая до нас в римской мраморной копии с бронзового оригинала скульптура Боета Колхидонского, представляющая мальчика, борющегося с гусем (первая половина II века до н. э.). Эта скульптура любопытна не только самой тщательной передачей пухлого детского тела, контрастирующего с жестким оперением птицы, но и эффектным построением группы, имеющей по форме пирамидальную конструкцию», — такие толстенькие дети, их потом очень полюбил XVIII век и изображал их амурами, а мы снова вернули их счастливое детство в наших детских садах. Они победили всех, перестояли всех в мировом искусстве.

Глава 2

Средневековье. «Высшая миссия»

Теперь мы перейдем к характеристике этой проблемы внутри средневековой культуры. Средневековое искусство к детям не обращалось, художники детей не изображали. Более того, в Средние
века вряд ли выделяли период детства как отдельный, самостоятельный период жизни человека.
Как только ребенок вырастал из пеленок, он тут же
попадал в мир взрослых. Одежда для детей была
такой же, как и у взрослых, так сказать, уменьшен-
ная копия. И работать дети начинали с 4–5 лет.
Детские образы в живописи до XIII века встречаются лишь в религиозно-аллегорических сюжетах.
Эти изображения можно классифицировать следу-
ющим образом: это ангел, изображаемый в виде
очень молодого человека, подростка; Младенец
Иисус или Богоматерь с Сыном, где Иисус — умень-
шенная копия взрослого; нагое дитя как символ
души умершего.

Это настолько интересная проблема, что ее можно показать, обозначить, а вот развить — сложно и

очень серьезно, это уровень отдельной монографии. Связана эта проблема — изображение ребенка — исключительно с религиозной живописью, с религиозным искусством как восточных христианских систем — Византии, Балкан, России, так и западных, латинских.

И там, и там развивается храмовое зодчество, а храмовые росписи представляют собой образ мира. Роспись является книгой, несущей важнейшую информацию для ума и сердца человека. Богословие и художественные достоинства монументальных ансамблей находятся в прямой зависимости. В России города даже принципиально строились деревянными. Существует такой очень четкий ответ на вопрос: почему церкви строились каменными, а города — деревянными?

Все дело в том, что дерево — это природный материал России. Оно тепло прекрасно сохраняет.

Но наступает какой-то момент, когда появляется возможность строительства каменных палат. Между прочим, владимиро-суздальские князья вполне могли себе позволить ставить палаты каменные. Существует колоссальная разница между камнем и деревом — материалом вечным и материалом временным. На Западе эта разница подчеркивалась масштабом плотно стоящих домов, теснящихся, как паства, сдвинувшихся. Мы можем это наблюдать в нашей Прибалтике. Это не только теснота земли, но и теснота принципиальная. Это братья, это паства, находящаяся вокруг единого собора, которая представляет собой Божий мир. Это принципиальный контраст между временем и вечностью, между Божественным бытием и бытийностью человеческой, жизненной. Она великолепно выражает себя через материал, через ткани. Это религиозное зодчество, оно вечное, оно к нам доходит.

Белокаменное строение и собственно живопись и скульптура — это религиозные вещи, потому что они связаны с религиозным культом. На Западе живопись развивается меньше, больше развивается скульптура. Начиная с IX века развивается такая система, как иконостас, которая дает возможность для развития средневековой станковой живописи. Эта живопись связана с совершенно определенными канонами, определенными сюжетами. И, казалось бы, здесь нет места детям, такой сугубо бытовой вещи. Но, оказывается, и здесь есть Младенец. Младенец изображается, по существу, один — это Иисус Христос. Здесь изображение детей связано с накладыванием на изображение Христа. В основном. Хотя существуют житийные иконы: икона святителя Николая с житием, житийная икона св. Георгия. Традиция изображения сцен из жизни святых — клейма — берет начало в IX веке. И в житийных иконах есть изображение святых в детстве. Изображение всегда одно и то же.

А теперь давайте обратимся к одной из самых почитаемых на Руси икон — Смоленской иконе Божией Матери. Богородица держит Младенца на руках, а Он сидит со свитком судеб человеческих в руках, и Он — путеводник, Он путь указывает. Он наставляет. Христос может быть ребенком или нет? Конечно, нет. То есть мысль средневековая, работая именно диалектически, соображая развитие детей как диалектику становления личности, понимая этот путь становления диалектики, так же, как она различает светское искусство и религиозное, структуру композиции города и храма, так же она различает ребенка и Бога-Младенца.

Дети не попадают в искусство, потому что им нет места в искусстве, а Бог Младенцем попадает, но Младенцем он быть не может, поэтому в качестве Младенца Он показан как личность абсолютно явленная, установившаяся.

Младенец не может быть изображен ходящим, ползающим, Он не может проситься на горшок. И вне зависимости от того, какой берется канон Богоматери (а здесь очень хорошо показано в каноне, что Бог — дитя малое только через масштаб и на руках сидит), всегда есть дуальность, четкое разграничение: по эту сторону — мир младенцев, которых незачем изображать в искусстве, по ту сторону — мир Бога — Младенца, который младенцем быть не может.

Давайте посмотрим на новгородскую икону XV века «Введение Пресвятой Богородицы во храм». Сюжет для русского иконостаса очень редкий, но в Новгороде распространен весьма. Это икона новгородской школы живописи, которую легко отличить от других школ по ярким краскам, жизнеутверждающему, жизнерадостному настрою.

Икона «Введение Пресвятой Богородицы во храм» рассказывает о событиях одного из двенадцати главных христианских праздников — Введения Богородицы во храм. Богородичный двунадесятый праздник возник на основе церковного предания, отраженного в апокрифическом «Прото-Евангелии Иакова». Установлен в честь события, когда родители Марии, святой Иоаким и святая Анна, согласно данному обету: «Если я рожу дитя мужского или женского пола, отдам его в дар Господу моему, и оно будет служить Ему всю свою жизнь» (Прото-Евангелие от Иакова, 4:3), приводят трехлетнюю дочь в Иерусалимский храм на воспитание и передают ее в руки первосвященника. Православное предание считает, что первосвященником, введшим в храм Марию, был Захария, будущий отец Иоанна Предтечи. Мария проведет в храме 9 лет, прежде чем будет обручена с Иосифом. Символический и богословский смысл события и праздничной иконы заключается в том, чтобы провести границу между Ветхим и Новым Заветом.

Итак, первый ярус иконы — Анна и Иоаким, будучи уже глубоко пожилыми людьми, вымолив у Бога ребенка, получив Марию в дочери, приводят Богородицу в храм и передают ее первосвященнику (Мария, по исторической или житийной литературе, была вымолена, ее Бог дал, и они отдают ее Богу во храм). А теперь посмотрите на картину «Введение во храм Пресвятой Богородицы» Тициана Вечеллио, написанную в 1534–1538 годах. Мы будем говорить об этом произведении чуть позже, сейчас хочется обратить ваше внимание на факт, отображения которого на иконе вы не увидите: Мария к храму пошла сама, это была ее воля.

«Когда она отняла Ее от груди на третьем году, они пошли вместе, Иоаким и жена его Анна, в храм Господа и, принеся дары, вручили дочь свою Марию, дабы Она была принята к девушкам, которые день и ночь пребывали в хвале Господу.

Когда Ее поставили перед храмом Господа, Она поднялась бегом на пятнадцать ступеней, не оборачиваясь назад и не зовя родителей, как обычно делают дети.

Все были исполнены удивления при виде этого, и священники храма были в изумлении» (Евангелие Псевдо-Матфея, IV, 2–4).

Второй ярус иконы — это всегда развитие времени, это то, что называется «шло время» и показано отрывным календарем. Но всегда второй ярус иконы также является и главным ее содержанием, там показана центральная часть иконы. Икона имеет 3-частное деление, как и храм, и вторая часть — это то, во имя чего икона написана. В случае если есть изображение только фигуры святого, то лик всегда помещается во втором ярусе. Это — главный предмет изображения.

А здесь во втором ярусе — Благовещение, то, во имя чего Богородица введена в храм, то есть ее предназначение, ее цель. И Мария сидит в храме, ибо Благовещение происходит в храме, куда она была передана на воспитание.

Как показана Мария на иконе? По преданию, это должен быть трехлетний ребенок, маленькая девочка, но мы видим образ вполне состоявшейся взрослой женщины, иконописец подчеркивает физическую и умственную зрелость Богородицы. Она показана так же, как и Христос. Очень маленький масштаб. Иконописец не ставит задачи показать детство, ему это не интересно, у него другая цель: создать образ, созвучный христианскому пониманию. Собственно, на иконах изображен не ребенок, а образ маленького святого, который написан, как уменьшенный взрослый.

Марии точно так же, как и на Анне, одежда сразу в два своих цвета — темно-синее платье и темно-вишневый мафорий. Это классические цвета Богородицы. Темно-вишневым и синим пишутся и цвета одежды Христа — красный хитон и синий гиматий. Цвета одежд Богоматери расположены в другом порядке: одеяние синего цвета, поверх которого — темно-вишневый плат, мафорий. Темно-вишневый и синий — это соединение небесного и земного. Если Христос — изначально Бог, ставший человеком, то Богородица — земная женщина, родившая Бога. Богочеловечество Христа как бы зеркально отражено в Богоматери. В сочетании красного и синего в образе Богородицы открывается еще одна тайна — соединение Материнства и Девства.

На иконе Богородица показана с обычным жестом, жестом согласия — Она отдает себя: «Се, раба Господня; да будет Мне по слову твоему...» (Лк. 1:38). Но этот жест означает гораздо больше. В данном случае Мария отдана этим жестом. Этот жест означает просьбу о заступничестве. Главная, высшая функция Богородицы на Страшном суде — заступничество и просительство. Поэтому, когда Пресвятую Деву Марию показывают после свершения Ее миссии, Ее показывают с этим самым жестом.

Мы говорим об этом потому, что Мария, будучи показана здесь ребенком, уже изображена в том, что есть Ее высшая миссия, высшее свершение.

Надо знать, что такое диалектика развития, для того чтобы в таких ответственных текстах, как житийная икона или праздничная икона, показать таким образом ребенка — как личность взрослого человека, свершившаяся, ставшая. Когда речь идет о мессианстве, то Они являются в совершенно готовом виде.

Глава 3

Возрождение. «Чистейшей прелести чистейший образец...»

По-настоящему, как мы уже сказали, тема изображения ребенка может быть прослежена нами только с того момента, когда начинает формироваться живопись станковая, когда живопись приобретает это деление, присущее ей, на виды и жанры. Мы имеем в виду эпоху Возрождения.

Тут, начиная с эпохи Возрождения, мы с вами должны эту проблему и рассматривать.

Появляется многоаспектность. Прежде всего мы хотим начать с картины Рафаэля «Сикстинская Мадонна». Очень красивые стихи посвятил этой работе мастера наш русский поэт-лирик Афанасий Афанасьевич Фет:

Вот Сын Ее, — Он, тайна Иеговы,
Лелеем Девы чистыми руками.
У ног Ее — земля под облаками,
На воздухе — нетленные покровы.
И, преклонясь, с Варварою готовы
Молиться Ей мы на коленях сами,
Или, как Сикст, блаженными очами

Встречать Того, Кто рабства сверг оковы.
Как ангелов, младенцев окрыленных,
Узришь и нас, о, Дева, не смущенных:
Здесь угасает пред Тобой тревога.
Такой Тебе, Рафаэль, вестник Бога,
Тебе и нам явил Твой сон чудесный,
Царицу жен — Царицею Небесной!

Афанасий Фет. К Сикстинской мадонне, 1864

Есть необходимость начать именно с этой картины потому, что она дает совершенно новый аспект и совершенно новое осмысление традиционной средневековой темы Богоматери с Ребенком на руках.

Главное содержание средневековой этики, главный герой средневекового искусства — это мужчина, муж, воин. Самый главный герой Средневековья — это Христос. Это тема страдания, тема свершения высокого нравственного подвига.

Ренессанс устраивается в духовном отношении много комфортабельнее. Главной темой Ренессанса является тема любви и творчества. Главный герой не мужчина, а женщина, и Христос переводится на положение ребенка. Когда Он изображен с Матерью, Он изображается как ребенок. Культ женщины является ведущим культом Ренессанса. Философия итальянского гуманиста Марсилио Фиччино строит вокруг женщин всех центральных персонажей мира. Это духовная центральная ось Ренессанса.

Напомним, что Данте Алигьери ставит Беатриче над собою и что если его ведет Вергилий вовне, то в светскую жизнь его ведет Беатриче — земная женщина.

Для Ренессанса образ Прекрасной Дамы и образ Богородицы сливаются, составляют некое единство, так же как и образ Христа един с образом Младенца.

Во всех своих картинах Рафаэль дает Христа Младенцем, а в «Сикстинской Мадонне» он дает разделение, очень резкое противопоставление, художник возвращается к этому разделению, потому что Ренессанс, наоборот, стремится соединить. Эта картина была написана в 1512–1513 годах, за несколько лет до смерти Рафаэля Санти; у художника идет очень сильный пересмотр тех новых идей, которые выдвигает Ренессанс в XV веке, в эпоху Кватроченто. Художники потом сами отказываются от самих себя, такое часто бывает, когда культура, сделав крутой поворот, резко себя пересматривает.

К 1520 году — роковой, рубежной точке Ренессанса — начинается пересмотр позиций, и он у Рафаэля идем на контрасте земного и небесного, дается не соединение Прекрасной Дамы и Мадонны, а контраст земного и небесного. Варвара есть для него облик земного, Мадонна — облик небесного. Поэтому Мадонна дается как явление, как видение. И именно поэтому Варвара спускается, а Мадонна — пребывает.

У Мадонны нет контакта с окружающими ее фигурами. Сикст смотрит на Марию, а она на него не смотрит, Варвара смотрит на землю, Младенец смотрит вверх. На первый взгляд кажется, что взор Мадонны направлен на зрителя, выходит за рамки картины, но у Мадонны даже с нами контакта нет. Она выходит за пространство физическое. Она идет, она грядет. Это совершенно особое пространственное измерение. Здесь есть два пространства — пространство земного уровня и пространство мистического уровня.

По этим двум линиям мы с вами и будем рассматривать эту проблему, потому что она себя уже проявляет в несколько различных системах.

На полотне Рафаэля дано интересное сопоставление Младенца Христа и младенцев, которые внизу. Младенцы, которые внизу, пребывают в детстве, а Младенец, которого несет Мария, хоть и пребывает в детстве, но в нем уже существует сознание его долга и ответственности, даже некоего ужаса и кошмара перед этим долгом, перед этой ответственностью. Мы эту картину взяли первой как наиболее показательную в этом смысле, очень драматическую в своем дуализме, в своем неединстве, рассматривающую один и тот же вопрос с двух различных позиций.

Но такой подход характерен не только для Италии. Мы хотим ваше внимание обратить на очень интересную картину немецкого художника Маттиаса Грюневальда, абсолютного современника Рафаэля. Давайте сначала рассмотрим «Благовещение», а потом изображение Богоматери с Младенцем.

Грюневальд — современник Рафаэля, для него драматические события в мире и в искусстве уже сопряжены с мастерами иконы: была Божественная истина, был мир, причем мир не попадал в систему Божественного. Здесь всё очень связано, сопряжено.

По заказу ордена антонитов (антонианцев) для монастыря в Изенгейме Маттиас Грюневальд расписывает алтарь. По своей форме этот алтарь является створчатым и представляет собой полиптих,

Маттиас Грюневальд располагает на нем евангельские сюжеты. Створки алтаря раскрывались по определенным дням литургического года, и становились видны соответствующие религиозному событию изображения. В рождественские праздники раскрывалась вторая створка. Сцену Рождества обрамляют «Благовещение» и «Воскресение». Изображение сцены «Благовещения» у Грюневальда отличается от традиционного, оно очень необычно. Женщина, которую мы видим на картине, просто рассеяна тем вихрем, который на нее направлен, растерянна перед тем приговором, который ей вынесен. Художник изображает немочку беленькую. Волосы у Нее распущены, круглое лицо, опущенные глаза — Она не готова к этому, Она отшатнулась, у нее нет желания мессианством заниматься. А Ангел врывается, как вихрь, его одежды развеваются. Причем ангела Грюневальд пишет как пожар, на сочетании темно-красных и желтых цветов, он — как огонь. И пальцы у него длинные. Он Ее неволит, он Ее приговаривает, говорит, что человек не волен, это история, обстоятельства ставят Ее перед вопросами, к которым Она не готова. Ангел приносит Ей Благую весть, и Она вынуждена ее услышать. Она отвернулась от ангела, но Ее ухо внимает его словам.

Здесь прослежена трагическая линия бытийного. Она очевидна, она выступает. И она для сознания ренессансного, очень сложного и трагического, очень существенна.

Поэтому, когда ребенок у Марии появляется (речь идет об изображении «Штуппахская Мадонна» на Ашаффенбургском алтаре), то Она знает, что держит Его в руках первый и последний раз. И хоть Грюневальд размещает на картине кувшин, бадью, какие-то бытовые мелочи, содержание здесь такое же, как и в «Сикстинской Мадонне»: Она этого не хотела, Она к этому была приговорена, это решение свыше идет к Ней, и Она держит Его в руках в первый и последний раз. Поэтому здесь все идет через чрезмерность — чрезмерность эмоций, чрезмерность напряжения, а Младенец показывается как еще несмышленый ребенок.

Тут появляется одна очень интересная особенность, мы бы сказали, режиссерская, рассчитанная уже не только на то время, когда это было создано, но и на зрителя. Здесь Ренессанс, когда начинает ребенка изображать, начинает эксплуатировать детство. Дети показываются пухлыми, нежными, симпатичными и беззащитными, но зритель знает, к чему этот ребенок приговорен. Когда Мария несет ребенка на руках, мы уже знаем, на что Она Его несет. Сердце кровью обливается.

Образ ребенка очень легко эксплуатировать. Возьмите «Тройку» Перова: дети, ученики мастеровые, везущие по обледенелой дороге сани. Но он же беззащитен, ребенок, что же так издеваться. И вот в эпоху Возрождения через детей начинают вызывать жалость.

И Христос в эпоху Возрождения изображается как беззащитный, пухлый Младенец, а не в своей наивысшей силе. И этот Младенец в дальнейшем обречен — и зритель-то это знает — на такие страдания: и Он, и его Мать.

Грюневальд перед этой драматургией зрителя ставит лицом к лицу. Зритель становится актив-

Всадники. Фрагмент западного фриза Парфенона. 443–438 гг. до н. э.

Фрагмент западного фриза Парфенона. 443–438 гг. до н. э.

Дельфийский возничий.
478–474 гг. до н. э.

Боет. Мальчик с гусем. II век до н. э.

Гигиея — богиня здоровья

Дионисий. Одигитрия Смоленская. 1482 г.

Введение Пресвятой Богородицы во храм. XV в.

Тициан Вечеллио. Введение во храм Пресвятой Богородицы. 1534—1538 гг.

Рафаэль Санти. Сикстинская Мадонна. 1512–1513 гг.

Рафаэль Санти. Сикстинская Мадонна (фрагменты). 1512–1513 гг.

Маттиас Грюневальд. Первая развёртка Изенгеймского алтаря.
Начало XVI в.

Маттиас Грюневальд. Вторая развёртка Изенгеймского алтаря.
Начало XVI в.

←— Изенгеймский алтарь в экспозиции музея Унтерлинден
в городе Кольмаре во Франции

Маттиас Грюневальд. Благовещение. Левая створка
второй развёртки Изенгеймского алтаря. Начало XVI в.

Маттиас Грюневальд. Штуппахская мадонна. 1514–1519 гг.

Рафаэль Санти. Мадонна в зелени. 1506 г.

Рафаэль Санти. Мадонна Альба. 1511 г.

Леонардо да Винчи. Мадонна Бенуа. 1478–1480 гг.

ным участником и дополнительным лицом. Рафаэль в этом смысле, так же как и Грюневальд, является очень тонким режиссером. Он начинает писать детскую беззащитность. Он не ставит своей задачей показать психологию детского возраста или особые принципы, нет. Он показывает детскую беззащитность. Ребенок весь зависит от Матери, Он неотделим от Нее. А зритель точно знает, что ждет этого ребенка.

В этом смысле очень интересны картины Рафаэля «Мадонна в зелени» и «Мадонна Альба». Вся эта серия Рафаэля очень интересна. Мы сейчас с вами оценить драматургию этой вещи не можем, потому что мы не католики XVI века.

Между прочим, именно в XVI веке людей сжигали на кострах больше, чем в XII веке, что прекрасно известно по статистике, потому что в XII веке охоты на ведьм не было, а в XVI веке — была. Католики XVI века были нервно организованы несколько иначе, чем мы, поэтому, когда мы смотрим на такое зрелище, как ребенок, который стоит на цыпочках, упитанности в теле средней, мы понимаем, что все материнские чувства вложены сюда без остатка: он выкормлен, у него щеки висящие. Это и есть беззащитность перед миром, у него нет никаких форм для защиты. А он играет с крестом.

Понимаем ли мы, что это значит для религиозного человека? Это нам с вами все равно. А ведь это смысловая вещь, это связано с набором стигматов. Неужели вы думаете, что мы с вами смотрим сейчас Рафаэля так же, как человек XVI века?

Рафаэль был очень тонкий психолог и очень тонкий режиссер. Он играет очень искусно на драматургии. У него беззащитность играет с орудием своей пытки — с крестом.

Так же и у Грюневальда — тут и горшок, тут и бадья, и понятно, что Мать держит Младенца первую и последнюю секунду в жизни. И Он еще совсем Младенец, пить, есть сам не может, а уже в руках крест. Для того времени — это целая большая драматургия. Видите, уже начинается использование креста и использование детства, его бессмысленности и беззащитности. Появляется изображение контрастов с жестокой действительностью мира.

* * *

В основном линия развития этого жанра идет по обозначенному нами выше пути, но Леонардо да Винчи здесь занимает абсолютно особое место, потому что он был психологом, писал труды по психологии.

Леонардо да Винчи подходит к этой теме не только уникально для эпохи Возрождения, но мы бы вам даже рекомендовали выделить этого художника как психолога и человека необыкновенного, интересного с точки зрения процессов психологии и сознания человека в целом.

Когда-то очень давно, когда автор читала на психологическом факультете лекции по истории искусства, мы с этой точки зрения разбирали «Тайную вечерю», которая необыкновенно интересна именно как психологическое исследование.

Но и «Мадонна Бенуа» Леонардо да Винчи отнюдь не менее интересна, чем «Тайная вечеря». Почему? Потому что здесь у Леонардо да Винчи момент религиозного содержания, как такового, пропадает, этот ореол им вообще нивелируется. У Рафаэля это религиозное содержание сведено в иные системы, с иными героями. У Леонардо эта тема — эксплуатация детства — совершенно лишена всякого религиозного ореола, потому что у него были свои соображения по поводу христианской религии, и сейчас мы этой темы касаться не будем, но скажем, что Леонардо — единственный, кто пытается показать именно работу детского сознания и систему координации сознания и движения в определенном возрасте. И показывает он это так же, как показывают современные педагоги, — через игру.

Леонардо берет за основу сюжета игру, и эта игра становится моторной и психологической провокацией, художник показывает единство процессов развития между движением, моторикой ребенка и его сознанием. Эта игра очень простая: мать играет с ребенком цветочком. Она дает ему этот цветочек, а ребенок должен этот цветочек как бы сорвать или поймать. Для его возраста это сложная игра, которая требует мобилизации всех его сил, и поэтому он одной рукой придерживает руку матери, чтобы она не ходила туда-сюда, а другой рукой делает крючок — ловит этот цветок. Это делается в 4–5 месяцев. В этой игре задействованы все ресурсы ребенка — скошены глаза, он без остатка в этом процессе.

Как изображает Младенца Христа Леонардо да Винчи? У этого Младенца преизбыточно много веса, то есть Он — больше явление физическое, нежели действующее или духовно действующее. И если считать, что это относится к самому Христу, то мы слова доброго о Леонардо сказать не можем, кроме того, что он атеист самый отчаянный: показать Младенца Христа с нимбом над головой как обычного младенца, который и цветочка-то поймать пальцем не может.

Но, тем не менее, Леонардо написал эту самую картину. Он дал Младенцу переизбыточность физического начала: толстые колени, руки. Это физическое тело, а духовное начало у этого ребенка — в начальной стадии развития. Но это только один Леонардо да Винчи и делает: показывает какие-то начальные этапы становления личности через игру.

Люди, не имевшие детей, о них знают почему-то больше. Однажды довелось прочитать такой трактат о вскармливании младенцев, так оставалось только диву даваться, сколько же автор трактата их вскормил. Вот и Леонардо отлично знал детскую педагогику. Он является единственным таким и, можно сказать, уникальным, поэтому мы его выделяем.

Итак, обозначена первая линия эпохи Возрождения, самая-самая прямая, лежащая на поверхности, связанная с традиционной проблемой, идущая еще от Средневековья, только здесь она совершенно иная по содержанию.

Тут идет вычленение детской беззащитности, несмышлености.

Глава 4

Возрождение. «Святые семейства»

Вторая тема, которая появляется в сюжетной линии эпохи Возрождения, — это изображении Святых семейств. Не принято было такое изображение, потому что часто это — коллективный портрет. На Святом семействе нам бы очень хотелось остановиться, потому что прочитано большое количество литературы. Что это за сочетание — Святое семейство? Это целый жанр. Это изображение Девы Марии, Иосифа и Младенца Христа. Часто здесь же можно увидеть образы Елизаветы и священника Захарии, а также младенца Иоанна Предтечи либо Анны, матери Марии.

Давайте посмотрим на картину Тициана Вечеллио «Мадонна с вишнями», написанную во второй половине 1510-х годов. Вообще Тициан прославился не только как художник, писавший мифологические и библейские сюжеты, но и как портретист. Среди первых работ мастера «Мадонну с вишнями» стоит выделить особо: жизнерадостный колорит, продуманная в деталях композиция. Тициан изображает Святое семейство. У нас здесь два младенца. Младенец, который находится внизу, — это Иоанн Креститель. Публика понимает, о ком речь, что это за герой.

Опыт изображения детей приводит в какое-то соответствие изображение физического и содержательного, потому что у Рафаэля физическое и содержательное очень часто расходятся. Он пишет Младенца Христа на руках у Матери, но содержание совершенно другое. А в Венецианской живописной школе в написании детей, используетс новый художественный принцип — содержательная и физическая однородность.

Еще один яркий представитель Венецианской школы — художник Джорджоне, основной период творчества которого приходится на первое десятилетие XVI века. Рассмотрите картину Джорджоне «Мадонна Кастельфранко» (полное название полотна — «Мадонна на троне с Младенцем и святыми Либералием и Франциском»), написанную около 1504 г. Здесь изображены Мадонна с Младенцем и святыми.

Содержание очень интересное, здесь интересно рассмотреть Мадонну с Младенцем, потому что у Джорджоне этот Младенец и физически, и содержательно идентифицирован с определенным возрастом. Это реальное изображение определенного возраста. Оно не раскрыто, как у Леонардо да Винчи, это не драматургия, как у художников Кватрочентро. Драматургия свойственна, кстати, и Боттичелли, не только Леонардо, и Филиппино Липпи. А здесь интересен момент приведения в соотношение и согласие физического и содержательного, психически возрастного и физического. Сидит Мать, она как бы погружена в свое, а Младенец сидит и собой занят. Мать его держит на руке, только придерживает, а Он собой занят, и занятие у него самое пустяшное: Он рассматривает что-то у нее, отвлекся. Развлекается.

И тут всех этих младенцев развлекали: они развлекаться сами не могут, младенцы показаны с игрой, развлечением, потому что они не самодостаточны, самодостаточности у них нет, а обязательно должен быть сигнал извне, чтобы сосредоточиться и сфокусировать свое внимание.

* * *

Сейчас мы посмотрим еще несколько Святых семейств, а потом скажем несколько слов относительно этого явления.

Принципиально иное, нежели у художников итальянских, изображение Святого семейства мы видим у испанского художника Эль Греко. «Святое семейство со святой Анной и маленьким Иоанном Крестителем» написано художником в 1600–1605 годах. Как и все работы Эль Греко, эта не лишена драматизма и мистической атмосферы. Беспокойное, сумрачное настроение картины создается и цветовой гаммой, и отсутствием пейзажа, и близким расположением фигур, направление взглядов которых создает замкнутую композицию. На полотнах Эль Греко мы всегда находим разнообразие эмоционально-психологических оттенков, тонкую психологическую дифференциацию образов, сложный общий рисунок, связывающий всех действующих лиц единством духовного состояния. Сюжет прост: Богоматерь показывает Младенца своей матери Анне и своему отцу Иоакиму. Мы видим, как бабка бережно пеленочку подняла, Младенца этого рассматривает. А поза у Младенца на коленях Богородицы отсылает нас к сцене оплакивания. И поза маленького Иоанна Крестителя очень говорящая — его жест, призывающий к молчанию — он знает грядущее. У Эль Греко кисть, связанная со Святым семейством, иная, нежели у Рафаэля, Грюневальда, Тициана и Леонардо да Винчи. Это художники, жившие почти одновременно, но совершенно различные художники.

Вернемся к Тициану. Что пишет Тициан? Надо отметить, что Венеция тех лет — это один из центров передовой европейской культуры и науки. Поэтому совершенно неудивительно, что ближайшим другом Тициана становится знаменитый Пьетро Аретино, венецианский поэт, сатирик, публицист, личность очень известная и очень острая на язык. Лудовико Ариосто в своей поэме «Неистовый Роланд» назовет его «бич государей, божественный Пьетро Аретино». Вот своего друга Пьетро Аретино Тициан и пишет. Рядом с Аретино Тициан пишет дочь его, молодую женщину, черноволосую, румяную, красивую, и на руках у дочери — ее сына. Тициан пишет возраст, поколения.

[Справедливости ради надо заметить, что Аретино пишет не только Тициан, например, на фреске Микеланджело «Страшный суд» черты лица святого Варфоломея очень напоминают черты лица Аретино.]

В «Благовещении» было показано время, которое требует осуществления миссии, время вертикальное, мессианское. А здесь показано горизонтальное, историческое время, время становления семьи, развития семьи. Это, пожалуй, самый интересный момент, новая тема, которая появляется в эпоху Возрождения. Она связана именно с изображением детей. Это тема семьи. И идет эта тема семьи именно через Святые семейства: дед, мать, внук.

Это понятие семьи — очень интересное понятие для того времени. Мы уже упоминали тот факт, что Святополк Окаянный не постеснялся убить своих братьев — Бориса и Глеба. Правда, он им оказал большую услугу, так как они были людьми заурядными, а стали святыми. Как говорится, кто жизнью не пожертвует ради такого бессмертия и вечной славы. Но все-таки Святополк Окаянный был им родным братом, что не очень хорошо о нем свидетельствует. Феодализм установки на семью не имел. А когда рыцари под забралами сплошь бегают, то известно, что принц Джон мог порешить своего брата Ричарда Львиное Сердце в две секунды, не чихнув (речь идет о французском рыцаре Пьере Базиле, известном как Бертран де Гудрун, Джон Себроз и Дудо, который во время осады замка Шалю ранил из арбалета Ричарда, рана Ричарда Львиное Сердце была не смертельна, а вот последствия имела самые печальные). То есть если и была вражда, то это была вражда внутрисемейная. Она была очень характерна для Италии в том числе. И вообще для Средних веков.

* * *

Когда же начинают укрепляться семьи? Когда семья становится социальной основой, ячейкой. В таких семьях очень важны дети — это ее будущее, ее футурология. И дети начинают тогда изображаться не сами по себе, как личности, но как онтология, онтологическая форма.

Никола Поцца в книге «Биографическое исследование жизни и творчества Тициана Вечеллио» передает нам очень интересный диалог между Тицианом и Аретино:

«— Семья — дело серьезное, а не только лишь забавы с детишками. Она требует внимания, ей нужно то одно, то другое, у меня же в голове картины, я думаю о том, куда лучше положить киноварь и ультрамарин, как достовернее изобразить красивое лицо, волосы, глаза; и все, что может увести меня от этих мыслей, злит и раздражает.

Все молчали.

— Женщина, которую ты взял в жены, держит тебя, и ты теряешь свободу. Только после свадьбы начинаешь понимать, что живопись неразлучна со свободой; одно не может существовать без другого. Судьба художника напоминает судьбу отшельника. Он живет среди своих фигур и изображений, как среди молитв. И женщина становится дьяволом, играющим его судьбой, — угрюмо проговорил Тициан.

— Это, конечно, аллегория, — возразил Аретино, неизменно оставлявший за собой последнее слово. — Художник без женщины — все равно что высохшее дерево: мрачен, уныл. Вы, Тициан, с вашим тонким чутьем угадали, как нужно поступить.

А вот еще один отрывок для сравнения: «Как ни странно, но прожженный циник Аретино оказался на редкость нежным и заботливым отцом. В одном из писем к другому своему куму, Дель Пьомбо, он признается, что с годами становится сентиментальным и ради «слезинок» своих крошек готов принести себя в жертву со всеми потрохами». (Махов А.Б. Тициан. М., 2006, с. 44).

Все это было очень важно, потому что Пьетро Аретино не получил никакого образования, семьи у него как таковой не было и он с подросткового возраста бродяжничал, затем был беглым солдатом и каторжником, а вот гербованным человеком стал, дворянство получил, потому что был очень ловок. И для него очень значимо было то, что он закрепляет себя в такой онтологической картине вместе со Святым семейством.

Возьмем картину Эль Греко «Поклонение пастухов» («Рождество»). Эта картина совершенно иная по своему содержанию. Здесь нет той реальности, которая есть у Тициана: дочь Аретино — Мария, внук — почти Христос, а он — почти Иосиф. То есть тут приятных таких аналогий никто не испытывает. Эта картина построена на типах Эль Греко, а не на портретах современников. Это особый духовный вертикальный, вытянутый тип человека, физический, необычайно содержательный духовно. Не экстравертно, как у Тициана, а, наоборот, интровертированно, в себя погруженный, пребывающий в сознании какой-то очень большой глубины. Вместе с тем Младенец на руках молодой женщины — это какая-то очень важная вещь: как Она пальчиками двумя поднимает пеленки и смотрит на Него. Интересный момент, который появляется у Эль Греко, — он начинает Марию и Младенца изображать как источник света. В картине «Рождество» Младенец горит ярче звезды. Эта идея понятна: взошла звезда, родился царь царей. Но здесь есть еще один смысл — смысл важности продолжения рода, это еще одна цепь, еще одна миссия. Начинают складываться семейные системы, незыблемые. Именно поэтому тема Святого семейства начинает приобретать такое большое значение. Как только это появляется, в искусстве начинают изображаться дети в семье.

Мы посмотрим две такие картины, когда дети сами по себе значения еще не имеют, а имеют значение только в семье. Это очень непохожие и вместе с тем очень похожие картины.

Перед нами — нидерландский художник Хуго ван дер Гус и его триптих «Алтарь Портинари», вошедший в историю под именем заказчика. Картина написана маслом по дереву на сюжет поклонения волхвов. Как и многие живописные произведения того времени, триптих был заказан для церкви. На боковых створках изображены донаторы — Томмазо Портинари, его жена Мария ди Франческо Барончелли, их дети и святые, а на обороте створок представлено Благовещение.

Томмазо Портинари — это итальянец, банкир, работавший в Нидерландах и заведовавший конторами Медичи — Лоренцо Великолепного. Он заказывает Хуго ван дер Гусу семейный портрет. Эта картина построена по определенному каналу, который вы можете увидеть и у Тициана, скажем, в картине «Мадонна Пезаро». Здесь открывается целый жанр, где дети необходимы.

Обычно эти семейные жанры имеют три части: тезоименные святые-покровители, те, кто покровительствует извне этому дому, те, на кого можно положиться. Этот Портинари в наборе не стесняется никак — он берет первейших святых: Петра и Павла, Катерину и Варвару. Катерина находится на женской половине, рядом Маргарита — с крестом и книгой, Петр с ключами. Они могучи, они изображены так, как принято изображать святых, это неординарное изображение, они занимают собой весь масштаб мира. Эта семья — лишь малое, в их подоле расположенное, но верящее им, доверяющее. Это семья: на правой створке коленопреклоненные мадам Портинари, около нее маленькая дочь Маргарита, а на левой створке так же коленопреклоненные два мальчика, их сыновья, которые стоят за спиной отца, Томмазо Портинари.

Посмотрите на портреты этих мальчиков. Здесь на детей распространяется влияние взрослых и святых, они изображены так, как и вообще нидерландская живопись изображает человека. Мы уже говорили об этом — это особая духовная содержательность. Это замкнутость, это мир, спрятанный внутрь: моя тайна известна мне и Богу, и кому-то другому она известна быть не может. Мы объединены как семья, но при этом я пребываю в себе как личность.

И на детей распространяется некий общий принцип, это не специально с данными детьми связано. Такая же Маргарита, такие же мать и отец. Хуго ван дер Гус пишет детские портреты очень реалистически. Нидерландский портрет гораздо более высокий по своему уровню, чем итальянский, потому что итальянцы все время оттягивают в сторону героизма и театральности, они больше гуманисты в отношении человека, они очень любят пиететное отношение к человеку, у них каждый человек выглядит с восклицательным знаком, как величайший, великолепный. У итальянцев есть стремление к усилению, к форсированию качеств человеческой личности.

А в Нидерландах, наоборот, — оттяжка в сторону рефлексии. Нидерландский портрет гораздо более рефлексирующий, нежели итальянский. Итальянцы — они без комплексов неполноценности, а в нидерландском портрете есть ощущение собственной слабости, есть попытка посмотреть на себя со стороны, анализ собственного сознания. Все это присутствует очень сильно. Поэтому художник выделяет не только человека, Хуго ван дер Гус — прекрасный портретист, но он выделяет и детские вспухшие складочки над бровями, чтобы у нас появилось ощущение, что эти дети с признаками мысли, с признаками какой-то аборигенной, глубокой духовной мысли.

Но самое интересное в этой картине — конечно, не портреты этих детей, которых мы сейчас выделяем искусственно, а идея семьи, которая и рождает такое изображение детей в искусстве.

А вот опять Тициан. Картина, которая называется «Мадонна Пезаро», написана в 1526 году. Тициан получил заказ на этот алтарный образ от семьи Пезаро. Члены семьи Пезаро с достоинством преклоняют колени у подножия трона, на котором возвышается Пресвятая Дева Мария с Младенцем. Покровительствует семье святой Франциск, патрон церкви Фрари, слева виден коленопреклоненный Якопо Пезаро. Среди суровых профилей старших членов семьи Пезаро выделяется серьезное лицо подростка, обратившего к нам свой взор. Мы видим очень интересный портрет мальчика из дома Пезаро.

«Мадонна Пезаро» — это то же самое, что «Алтарь Портинари», только в «Алтаре Портинари» святые — огромного масштаба, а обычные люди значительно меньше, а у итальянцев такой разницы в масштабе нет. Как мы уже говорили, итальянцы — публика театральная, очень эффектная, для них Мадонна доступна, можно к Ней подняться по ступенькам, поговорить. В частности, можно поговорить со святым Домиником. Он просто представляет дом Пезаро. И святые такой же величины, как и обычные люди. Поэтому Мадонна не просто покровительница, Она — из их семьи.

Нидерландцы так не покажут, у них рефлексия сознания очень сильная. Но для итальянцев картина совсем другая: как же Она не из их семьи, если на другом холсте Мадонна изображена в качестве портрета дочери Аретино; поэтому здесь изображена семья, которая включает в свою семью Мадонну тоже, и, естественно, этой семье полагаются дети.

Глава 5

Возрождение. «Игры детские, игры взрослые»

Наконец, третья линия в развитии детского изображения в эпоху Возрождения. Третья линия совершенно иная — это попытка изображения ребенка как личности. Первые две линии — игра на беззащитность ребенка в искусстве и тема в онтологических исследованиях семьи, а теперь — изображение ребенка как личности. Не взрослого человека как личности, а именно ребенка.

Наиболее показательна в этом направлении будет работа известного фламандского живописца Питера Брейгеля Старшего, известного как «Мужицкого», которая называется «Детские игры» («Игры детей»). Творчество Брейгеля — особенное, очень своеобразное. Он был одним из основоположников фламандского и голландского реалистического искусства. Брейгель остро ощущал несправедливость мира. Последний период творчества художника пришелся на начало Нидерландской революции, борьбы не только религиозной — кальвинистов и католиков (иконоборческое движение привело к осквернению и разрушению католических церквей, религиозных зданий, статуй и изображений католических святых по всей стране), не только борьбы феодального уклада и новых, буржуазных порядков, но и национально-освободительной борьбы. Все это не могло не отразиться на мировоззрении мастера. В своем творчестве Брейгель остро критиковал пороки современного ему общества. Художник изучал наследие Босха, фольклор и народные обычаи. Изменяя средневековое мировосприятие и условности художественного языка, Брейгель заложил основы развития жанровой и пейзажной живописи новых времен.

Картина «Детские игры» написана Питером Брейгелем Старшим в 1560 году. Эта работа очень широко известна, и когда где-нибудь занимаются изображением детей, то эта работа фигурирует в первую очередь, потому что тут есть чему удивляться — Питер Брейгель собрал перечень всех игр, существовавших в его время, и все эти игры показал. Это невероятно!

В этой картине представлено более сотни детских игр. Некоторые исследователи рассматривают работу Брейгеля как уникальный каталог. Этот каталог очень напоминает нам игры Гаргантюа: «Затем Гаргантюа, еле ворочая языком, бормотал самый кончик благодарственной молитвы, выпивал разгонную и ковырял в зубах кабаньей костью, после чего начинал оживленно болтать со слугами. Слуги расстилали зеленое сукно и раскладывали видимо-невидимо карт, видимо-невидимо костей и пропасть шашечных досок. Гаргантюа играл:

в свои козыри, в шашки,
в четыре карты, в бабу,
в большой шлем, в primus, secundus,
в триумф, в ножик,
в пикардийку, в ключи,
в сто, в чёт и нечет,
в несчастную, в решетку,
в плутни, в камушки,
в кто больше десяти, в шары,
в тридцать одно, в башмак,
в триста, в сову,
в несчастного, в зайчонка,
в перевернутую карту, в тирлитантэн,
в недовольного, в поросенок, вперед,
в ландскнехта, в сороку,
в кукушку, в рожки-рожки,
в пий-над-жок-фор, в бычка,
в марьяж, в совушку-сову,
в две карты, в «засмейся, не хочу»,
в тарок, в «курочка, клюнь, клюнь»,
в глик, в расковать осла,
в онеры, в «но, пошел»,
в мурр, в «но, но»,
в шахматы, в сажусь,
в лису, в жмурки,
в фишки, в дичка,
в коровы, в догонялки,
в белую дамку, «в куманечек, дай мне твой ме-
шочек»,
в три кости, в «кто взял, тот проиграл»,
в ник-нок, в кожаный мяч,
в трик-трак, в пятнашки,
в марсельские фиги, в «где ветка?»

в ищи вора, в сегодня пост,
в драть козла, в развилину дуба,
в продаем овес, в чехарду,
в раздувай уголек, в волчью стаю,
в прятки, в пукни в нос,
в судью живого и в Гильмен, подай копье, судью
мертвого, в качели,
в таскай утюги из печки, в тринадцатого,
в перепелов, в березку,
в щипки, в муху,
в грушу, в му-му, мой бычок,
в пимпомпэ, в мнения,
в триори, в девять рук,
в круг, в шапифу,
в свинью, в мосты,
в живот на живот, в Колен бриде,
в кубики, в ворона,
в палочки, в кокантен,
в кружок, в Колен майяр,
в «я здесь», в мирлимофль,
в фук, в сыщика,
в кегли, в жабу,
в вертуна, в костыль,
в колачик, в бильбоке,
в тронь навоз, в ремесла,
в Анженар, в булавочки,
в шарик, в косточки,
в волан, в буку,
в разбей горшок, в щелчки,
в будь по-моему, в решето,
в палочку, в сеем овес,
в булавку, в обжору,
в хорька, в мельницу,

в бабки, в «чур меня»,
в замок, в прыжки,
в лунки, в под зад коленкой,
в храпуна, в пахаря,
в волчок, в филина,
в монаха, в стук, стук лбами,
в волка, в мертвого зверя,
в челнок, в выше, выше, лесенка,
в «величаем тебя, святой Косма», в дохлого поросенка,
в соленый зад, в растирай горчицу,
в голубка, в пикандо,
в прыг через вязанку, в ворона,
в прыг через кустик, в жаворонков,
в фигу, в журавля.

Вволю наигравшись, просеяв, провеяв и проведя свое время сквозь решето, Гаргантюа почитал за нужное немножко выпить — не больше одиннадцати кувшинов зараз, — а потом сейчас же вытянуться на доброй скамейке или же на доброй мягкой постели да часика два поспать сном праведника» (Франсуа Рабле. Гаргантюа и Пантагрюэль — I, гл. XXII. Игры Гаргантюа).

Но у Рабле есть игры настоящие, существовавшие, а есть выдуманные, несуществующие. А у Брейгеля все игры не просто существовали, но сохранились, может, чуть в другой интерпретации, до сегодняшнего дня. Можно провести исследование по картине Брейгеля и задать вопрос: что прибавилось к детским играм с того момента, как их изобразил художник? И тут мы должны сделать для себя печальный вывод: как ничего не прибавилось к эллинистической скульптуре в изображении детей, так ничего не прибавилось и к детским играм. Всё это плохо развивается.

Но написал эту картину художник не для того, чтобы в дальнейшем дать ученым материал для изучения детских игр, потому что само по себе понятие «игра» для Брейгеля другое. Картина «Детские игры» имеет пару, которая называется «Фламандские пословицы и поговорки». Это диптих — две одинаковые картины.

«Фламандские пословицы и поговорки» — это игры, в которые играют взрослые. Ну, соответственно, детские игры — это игры, в которые играют дети. Так вот, если рассматривать игры, в которые играют дети, и игры, в которые играют взрослые, то выяснится, что и дети, и взрослые играют в одни и те же игры.

Слово «игра» для Питера Брейгеля («Мужицкого») идентично слову «деятельность». Игра — это есть деятельность, организованная определенным образом. «Фламандские пословицы и поговорки» — это деятельность взрослых.

Питер Брейгель «Мужицкий» утверждал одну поразительную для современной педагогики мысль: взрослый отличается от ребенка количеством прожитых лет, но не делает вывода из опыта жизни, это есть некая психическая статистика, жизнь человека в принципе бессмысленна. Питер Брейгель — пессимист. Он не верит человеку, он не верит в человека.

Это не потому, что он был плохой или чуждый нам идейно или духовно, а потому, что такая точка зрения также существовала, и, в известном смысле этого слова, она имела право на существование.

Кстати, когда герои культуры XX века, такие экспансивные и такие экстравагантные, как Гийом Аполлинер, то есть люди, создававшие общество дадаистов, выпустили свой манифест, то Питер Брейгель мог подписаться под ним в качестве первого автора, потому что через этот манифест как Брейгель, так и Босх могут быть необыкновенно интересно прочитаны.

Тристан Тцара (литературный псевдоним Самуэля Розенштока), румынский и французский поэт, основатель дадаизма, писал прямо в тексте дадаистского манифеста о том, что взрослые люди всю жизнь говорят только одно — бессмысленный детский звук, больше не научаются ничему, они играют в игры, в которых они не рассчитывают на последствия этих игр, точно так же, как ребенок, замахиваясь и ударяя палкой, не отдает себе отчета в том, что он может убить человека, он не отвечает за эту акцию в своей игре. «Это есть деятельность как таковая», — считал основатель дадаизма.

Тристан Тцара пережил и Первую, и Вторую мировые войны. «Англия, — пишет он, — не потеряла в годы Первой мировой войны, не понесла таких потерь, не потеряла всю свою интеллигенцию. Разве эта война для англичан равна тем потерям, которые они понесли? Нет, конечно, это бессмыслица». Это вошло в программу видимого мира, видимого абсурда, мира, лишенного видимой логической связи. Эта же мысль была очень характерна для сознания нидерландской интеллигенции, голландской интеллигенции в XVI веке. У нидерландцев того периода на это были свои основания, очень веские, точно так же, как у интеллигенции после Первой мировой войны. Тристан Тцара ставит перед собой вопрос: насколько деятельность эквивалентна результатам этой деятельности, совпадают ли причины, вызвавшие Первую и Вторую мировые войны?

На картинах Брейгеля мир и выглядит как точечные действия и взрослые дети связаны с деятельностью, которую они в данный момент производят. У них в этой деятельности нет прошлого, нет будущего. Это есть лапта, чехарда, прыгание друг через друга. Это игра как таковая. Это и есть самодостаточная деятельность, она не рассчитана на последствия.

Вся композиция у Брейгеля разбита на отдельные элементы только потому, что он не видит логической связи, целостной связи в мире, лежащем перед ним. И как художник, когда он пишет картину, он пишет с верхней точки, как будто он наблюдатель, находящийся на очень высокой точке. И с этой высокой точки он связи не видит.

Он не видит разницы между человеком взрослым и ребенком. Очень интересно, что он взрослых изображает как детей, а детей — как взрослых. Вот к вопросу о личности.

У него личность взрослого человека и личность ребенка совмещены, идентифицированы. Посмотрите на его детей. Разве это дети? Нет, это изображены взрослые люди. Но только персонаж сидит не на лошади, а на деревянной лошадке, вот мы и воспринимаем его как ребенка.

Посмотрите, как он пишет маленькую девочку: и одежду, и лицо он пишет взрослыми. То есть дети рождаются и сразу начинают через эти игры оформляться на всю жизнь, через эту бессмысленную деятельность. Они осваивают мир через свои игры: лошадку, семью, еще какую-то деятельность. Тут не просто показаны игры, но показаны игры как опыт человека в целом.

Разница заключается в том, что этот опыт мы расцениваем как положительный, а Питер Брейгель рассматривает его как отрицательный. Когда встает вопрос о личности, то художник того времени рассматривает его консервативно, статично в отношении проходящего времени, неподвижно; человек развивается не как сущность, а только временно. Потому что как сущности ему развиваться нечего. Время и философия определяют четыре начала в человеке, четыре момента: момент пространства, времени, сущности, динамики. А Брейгель рассматривает только два элемента — время и элемент пространственный, а элемент динамики и элемент сущности не рассматривает.

Можем ли мы говорить в данном случае, что Брейгель ставит перед собой проблему личности? Разумеется! Не думайте, что проблема личности всегда решается с положительным знаком, при рассмотрении этой проблемы в таком аспекте нам сейчас и делать бы было нечего, только смотреть друг на друга как в идеальное зеркало.

Питер Брейгель рассматривает вопрос детства как становления личности весьма неординарно для нас, как мы понимаем то время, и весьма типично для того времени. Но итальянские художники тоже начинают рассматривать именно этот момент становления человеческой личности.

Так же, как и у Питера Брейгеля есть целый трактат о том, что такое становление личности, что такое неизменность сущности, что такое аннигиляция личности, у итальянцев ставится вопрос именно становления характера и личности. И начинает рассматриваться этот вопрос о становлении характера, о становлении сущности в процессе динамики, в процессе времени и пространства. Только через итальянское Возрождение.

Видите, какое многоликое изображение человека малого возраста: это и эксплуатация детской беззащитности, это и понятие онтологичности семьи, и, наконец, это рассмотрение личности.

Часто ли мы с вами видим изображения, в которых ребенок уже рассматривается как личность? Или как потенциально возможная личность?

Нет, мало. Это не столбовая дорога итальянского Ренессанса, но и не обочина, что-то попадает в круг, потому что художники занимаются проблемой человеческой личности, проблемой рассмотрения ее с различных точек.

* * *

Мы с вами не можем ссылаться на вещь Пинтуриккио «Портрет мальчика», точно так же, как и на автопортрет Дюрера мальчиком. Но мы обязательно должны о них сказать.

Сначала — один очень любопытный факт. Итальянский живописец Пинтуриккио (Бернардино ди Бетто (или ди Бенедетто)) известен далеко не всем, а вот его работу «Портрет мальчика» знает гораздо больше людей. В отличие от всех художников, о которых мы с вами говорили, Пинтуриккио выделяется одной очень интересной деталью: знаменитый Джорджо Вазари о творчестве и способностях этого художника отзывался весьма нелестно: «Если судьба и помогает многим, которые не одарены большим талантом, то, наоборот, существует бесчисленное множество талантливых людей, преследуемых ее превратностями и ее враждой. Отсюда явствует, что истинными своими чадами считает она тех, кто без помощи какого-либо таланта всецело от нее зависит, и что ей любо, когда по милости ее возвышаются те, кто пребывал бы в безвестности, если бы полагался только на собственные заслуги. И это видим мы по Пинтуриккио из Перуджи, который, хотя и выполнял много работ, и получал помощь от многих, тем не менее приобрел гораздо большую известность, чем *его* произведения этого заслуживали» (Джорджо Вазари. Жизнеописания наиболее знаменитых живописцев, ваятелей и зодчих. Жизнеописание Бернардино Пинтуриккио, перуджинского живописца).

Что ж, бывает и так. А теперь вернемся к нашей теме и постараемся быть беспристрастными. Итак, две работы: «Портрет мальчика» и автопортрет Дюрера мальчиком.

Вообще, в германской живописи Дюрер первым написал свой автопортрет, первым среди художников Ренессанса он написал и свой детский автопортрет. Первым из европейских художников написал свою автобиографию.

Свой самый первый автопортрет Дюрер нарисовал в 13-летнем возрасте серебряным карандашом, будучи подмастерьем у своего отца — златокузнеца Альбрехта Дюрера-старшего. На портрете было написано: «Это я сам нарисовал себя в зеркале в 1484 году, когда я был ещё ребёнком. Альбрехт Дюрер». Сын ремесленника, который должен был бы стать ремесленником, писал свой автопортрет, будучи ребенком. Он внимательно, мучительно всматривался в свое лицо, не только потому, что задачей его жизни было самопознание, самоизучение, но и потому, что он вглядывался в черты детства, меняющиеся, становящиеся. Он фиксировал изменяющиеся черты в автопортретах.

Пинтуриккио тоже видит в своем «Мальчике» приметы этого становления. Очень интересно, как портрет дает момент динамики этого становления. Мы посмотрим, как художник это делает. Хотелось бы напомнить вам, что психологический портрет в живописи — это очень большая редкость и вещь уникальная. Психологический портрет удачно получается в литературе. Этот процесс всегда связан с моментами прослеживания, поэтому романом рождается психологический портрет человека, когда идет последовательное просматривание, изучение становления человека, раскрывающегося перед нашими глазами. А портрет живописца создается одномоментно, и все-таки момент какого-то условия в портрете также может быть.

У Пинтуриккио в «Портрете мальчика», который он напишет в 1500 году, этот процесс становления дается через природу, через среду. У художника изображение природы есть не изображение природы, а часть рассказа о мальчике, потому что это природа, только начинающая крепнуть, набирать сок: это чуть только зеленеющие кусты, чуть только покрывающиеся зеленью деревья, чуть только распускающиеся листья. Это аллегория возраста. Точно так же в этом мальчике есть черты детской припухлости на лице: в губах, щеках, веках. Все лицо еще не оформилось, еще на нем не проступила главная его сущность. Она только начинает проявляться, показывать себя.

Но вместе с тем под этой аллегорией возраста мы начинаем прощупывать характер, характер будущей личности — в его замкнутости, в его серьезности, необыкновенной сфокусированности и концентрированном внимании. Так написано лицо и так написаны глаза мальчика. Все это подчеркивается линией платья — душа совсем закрытая, не как у русских мальчиков на картинах Венецианова или Тропинина, у которых открыта душа, которые удивляются миру, а закрытая. Здесь у мальчика уже выработана защита, как будто у него уже надета кольчуга. У него действуют все абсолютно системы, хотя он еще не успел превратиться из ребенка в отрока. У него действуют внимание, защита, сосредоточенность, то есть те черты характера, которые были обязательно необходимы человеку того времени, которые входили в систему личности эпохи Возрождения.

В этом смысле необычайно показательно обращение к изображению Давида-отрока. Речь идет о бронзовой статуе Давида работы Андреа дель Верроккьо. Это все-таки имеет отношение к тому, о чем мы говорим, то есть к тому, что ребенок, или мальчик, или отрок уже начинает изображаться как определенная личность.

Когда Микеланджело делает Давида, то для него совершенно не важно, что он ребенок, что он маленький, для него важно, что у Давида абсолютное сознание победителя, уже оформившееся. Там очень трудно говорить о возрасте. А у Донателло и у Верроккьо это важно, это вопрос становления личности.

Существует исследование, которое доказывает — это исследование не искусствоведческое, а научное, криминалистическое, — что портрет Давида был сделан Верроккьо с Леонардо да Винчи, когда тот был мальчиком, находился на обучении в его мастерской.

Верроккьо в изображении мальчика Давида, так же как и Пинтуриккио, показывает двойственность: хрупкость и силу, мощь. Эта детская сила имеет экстремизм внутренний, агрессивность в жесте руки с острым кинжалом, с локтем, выставленным вперед. То есть он еще не успел истрепать перья цыплячьи, а уже петух. В нем активизированы качества Монтекки. Не подходи к нему. В нем столько напряженности, отчаянной силы, которая была свойственна людям того времени.

Возьмите пример с Бенвенуто Челлини, который создал знаменитую статую Персея, держащего в руке голову Медузы-Горгоны: он был художником, не кондотьером. Но имел буйный, вспыльчивый нрав, с детства участвовал в драках, не единожды был изгнан из города, не единожды убивал. Кто-то на него не так посмотрел, не понравилось чье-то выражение глаз — а он, как говорится, дважды не думает. «И не вступая в спор, / Чинарик выплюнул / И выстрелил в упор», — как пел Высоцкий. Но, что интересно, процесс становления личности, вне всякого сомнения, начинается именно в это время.

Тициан Вечеллио. Мадонна с вишнями. 1515 г.

Джорджоне. Мадонна Кастельфранко. Около 1504 г.

Эль Греко. Святое семейство. 1594–1604 гг.

Тициан Вечеллио. Портрет Аретино. 1545 г.

Микеланджело Буонарроти. Страшный суд (фрагмент).
1537–1541 гг. Черты лица святого Варфоломея очень напоминают
черты лица Аретино

Эль Греко. Поклонение пастухов. Около 1612–1614 гг.

Тициан Вечеллио. Мадонна Пезаро. 1519–1526 гг.

Хуго ван дер Гус. Алтарь Портинари. 1473–1475 гг.
Центральная часть

Хуго ван дер Гус. Алтарь
Портинари. 1473–1475 гг.
Левая створка

Хуго ван дер Гус. Алтарь
Портинари. 1473–1475 гг.
Правая створка

Питер Брейгель (Мужицкий). Детские игры. 1560 г.

Питер Брейгель (Мужицкий). Детские игры (фрагменты). 1560 г.

Питер Брейгель (Мужицкий). Фламандские пословицы. 1559 г.

Питер Брейгель (Мужицкий). Фламандские пословицы
(фрагменты). 1559 г.

Альбрехт Дюрер. Автопортрет. 1484 г.

Пинтуриккьо. Портрет мальчика. Около 1500 г.

Донателло. Давид. 1440-е гг.

Андреа дель Верроккьо.
Давид. 1473–1475 гг.

Бенвенуто Челлини. Персей. 1545–1553 гг.

Микеланджело Буонарроти. Давид. 1501–1504 гг.

Мы вновь возвращаемся к Тициану. Давайте посмотрим на его картину «Введение Богоматери во храм». Это совершенно удивительная фреска, написанная в государственного типа учреждении. Сразу стоит вспомнить икону, о которой мы говорили выше, чтобы сравнить эту икону с картиной Тициана.

Если икона написана в конце XV — начале XVI века, то разница в написании этой иконы и картины примерно лет 80.

Вообще, понятие исторического времени, одновременности и современников очень условно. В России — это одно время, а для Запада — другое. На Западе эпоха Возрождения на ущербе, а у нас крепостное право отменено только в 1861 году. Разве это одинаковое историческое время?

Анатоль Франс прекрасно писал в «Садах Эпикура»: «Они, — он перечисляет тех, кто изображен на одной фотокарточке, — они вместе, но они не современники». Если люди изображены на одной фотографии, то это еще не значит, что они современники. Здесь речь идет немножко о других вещах. Это совершенно не то, что в пользу Запада или в пользу России, это просто совершенно необязательно, что чукчи, эскимосы и Россия, и Италия обязательно должны между собой совпадать. Они могут быть не современниками, хотя и на одной исторической фотокарточке.

В картине «Введение Богородицы во храм» — маленький человек против целого мира. Тициан специально так это пишет. По крутой лестнице совершается восхождение к храму. Фигурку Богородицы не видно, она очень маленькая, а лестница огромная. Лестница занимает практически половину полотна, одолеть ее под силу только гигантам, и по этой лестнице легко поднимается окруженная ореолом света маленькая девочка. Возвышаются священники Иерусалимского храма, внизу стоят люди. На картине изображены современники Тициана, изображен типично итальянский город с великолепным ренессансным дворцом, удивительной красоты коринфскими колоннами. Очень тонко, изящно написан пейзаж, вершины Альп, облака и яркий цвет неба, который перекликается с цветом одежды Марии. Прекрасный земной мир соединяется с миром Церкви, символом которой является Пресвятая Богородица. Замечательная деталь — торговка, такая красивая старуха. Этот мир старух, торговок, аристократов — и Мария поднимается по храмовой лестнице. Художник показывает, что Она одна — и весь мир, Одна против всего мира, потому что Она есть личность, потому что у Нее есть воля, есть миссия.

Уже в этот момент очень часто в искусстве определяется постепенное восхождение, познание. Ибо этот мир физический существует в пространстве метафизическом — здесь градации нет. Здесь лестница приобретает очень большое значение, как постепенное освоение пространства, и это мы можем видеть на очень многих картинах, это очень распространенный образ. Точно так же лестница — это какое-то понятие дороги, очень четкого символа, закрепленного за определенными смысловыми категориями — категориями незаконченного времени, пространства, категориями движения, самопознания.

Мы об этом говорим, потому что и лестница, и дорога — это символы, которые начинают свой путь с искусства Возрождения и до сих пор действуют безотказно.

Еще одно изображение семьи на полотне, о котором стоит сказать, — это, безусловно, картина Эль Греко «Погребение графа Оргаса». На ней мы видим изображение сына Эль Греко, Хорхе Мануэля, и, предположительно, самого Эль Греко (достоверных сведений о жизни Эль Греко известно крайне мало, они скудны, отрывочны. Это касается и его автопортретов; искусствоведы только предполагают, что на картине — автопортрет художника). И отец, и сын смотрят на зрителя, устанавливают с нами контакт. Мальчик указывает на сцену погребения, и это движение является связующим звеном. Мы с вами говорим о детях в семье, а это дети, которые являются какими-то проводниками, потому что здесь ребенок является связующим звеном пространства зрительного и картины. У Эль Греко было несколько детей, но они его имени не носили, потому что человеком он был имени лишенным. Настоящее имя Эль Греко было Доменико Теотокопуло, он был богомазом, а дети его были герцогами, потому что художник был женат на женщине царского рода. Ее дети были уже герцогами.

Его дети — это были дети особые. Они особым образом представляли мир, потому что они представляли мир реальный так же, как мир нереальный. Они представляли мир социальный и мир, где кончается эта социальность. Его собственные дети были для Эль Греко великим чудом.

И картина посвящена чуду: «Погребение графа Оргаса» — похороны, где хоронят святые, а не обычные люди. Графа Оргаса хоронят святой Августин и святой Стефаний. И душу графа Великий инквизитор передает прямо Иоанну Крестителю, который представляет ее сразу к кресту. «И это истина, это чудо-истина, — говорит Эль Греко, — и свидетельство тому — мой сын». А дети — вспомните сказку о голом короле — они не врут никогда, они несут истину. Если ребенок свидетельствует чудо, то оно есть чудо реальное. Художник делает ребенка проводником.

Здесь есть момент особой черты, которая, кажется, не для детской личности. Эпоха Возрождения дает такое количество граней в рассмотрении проблемы, которая не является основной для культуры. Но подлинно дети становятся героями искусства в XVII веке. В XVI веке мы детей выуживаем из искусства, мы думаем, где они, каково их место, а в XVII веке дети — это герои, равные взрослым в искусстве.

Глава 6

Век XVII. «Испанский трагизм»

Личность ребенка, личность человека — они в XVII веке для художника становятся равнозначными. Более того, личность ребенка может означать больше, чем личность взрослого человека.

В эпоху Возрождения, когда мы с вами говорили о проблеме детей, мы говорили об этом в связи с проблемами культуры. Это естественно, это так понятно. Как моделирует себя проблема культуры, так моделирует себя и эта проблема. Но эпоха Возрождения — это эпоха крупных проблем, а эпоха XVII века — это эпоха рассмотрения. В эпоху Возрождения проблем рассмотрения нет, есть постановка проблемы, есть ее гуманистическое утверждение.

Показателен в этом смысле факт изобретения в XVII веке микроскопа. Нидерландский натуралист Антони ван Левенгук использовал сконструированный микроскоп для зоологических исследований. Другими словами, Левенгук воспользовался этим прибором для детального рассматривания.

Для XVII века характерно рассматривание. Эпоха Возрождения все-таки имеет верхнюю точку для рассмотрения. Человек — как они крупно ни рассматривали личность — за его спиной — святой.

Здесь мы с вами входим в комнату, осуществляем факт присутствия внутри пространства XVII века, а не отделение от него или вознесение над ним. Мы вместе с Дон Кихотом и Санчо Пансой вступаем на великий путь, на великую дорогу, они приобщают нас к своему действию, приобщают внутри, а не извне. Дон Кихот вводит нас в свой внутренний мир, и мы не рядом едем, а внутри его. Точно так же, как «комедия плаща и шпаги» — жанр испанской драматургии XVII века — показывает внутренний мир человека через изображение конфликтов, вызванных сильными человеческими чувствами: любовью, ревностью, верностью, честью; точно так же роман-путешествие XVII века представляет нам странствующего героя, который активно перемещается в пространстве и выступает как наблюдатель чужого мира, при этом автор решает познавательные, философские, публицистические, психологические и другие задачи.

XVII век, с нашей точки зрения, в искусстве настолько интересен, что мы вообще полагаем, что к его изучению еще даже не приступали. Хотя можно увидеть очень много книг и названий и над этими названиями стоят громкие имена, на наш взгляд, XVII век рассматривается в каком-то очень стереотипном ключе. Известно, что кончились религиозные войны, что идет становление абсолютизма, национальных школ. Это общие места, которые уже мешают, а не помогают рассмотрению. То есть это очень важный век — век рассмотрения, когда для человека исчезает вертикальный мир, когда он смотрит не с верхней точки, не снизу вверх и не сверху вниз, а внутри того же пространства.

Для того чтобы просто показать, насколько это серьезно, мы обратимся к картине Веласкеса «Менины». (Эта вещь настолько гениальна, что к ней можно обращаться бесконечное число раз.) В Мадриде, в музее Прадо, где висит эта картина, она расположена идеально: верхняя часть этой картины упирается в потолок, а нижняя — в пол. И получается, что, когда вы входите в зал, вам достаточно сделать только один шаг, чтобы оказаться внутри картины. Веласкес только на это и рассчитывает. Потому что как зритель вы и находитесь внутри этой картины, вы стоите где-то здесь, незримо присутствуете внутри этой сцены, а Филипп IV и его супруга — за вашей спиной. В висящем зеркале вы видите отражение этих людей. Перед вами — дверь.

В эпоху Возрождения вы были отделены от пространства, а теперь соединены. Это очень интересно, что XVII век показывает детали, рассматривает. Поскольку мы упомянули эту картину, то давайте остановимся на Веласкесе, творчество которого занимает очень большое место. Пожалуй, если брать детскую тему, то имя Веласкеса будет стоять на первом месте. Он любил изображать убогих, карликов. Это его главные, основные герои. А взрослых людей он очень не любил. Он не находил с ними общего языка, контакта, он имел контакт только с главными героями своих картин, хотя вынужден был писать, потому что был придворным живописцем Филиппа IV, и вынужден был писать то, что тот ему заказывал.

Но как гениальный художник и как гениальный писатель, Веласкес и Сервантес, современники, были великими дирижерами мира, и мир их выглядит не таким, каким он был, а таким, каким они нам его показывают. Мы видим Испанию такой, какой нам ее показывают Веласкес и Сервантес. Когда они берут в руки свою волшебную палочку и становятся перед холстом, то мир обретает то лицо и те очертания, которые они хотят, чтобы он обрел.

Слишком долго — рассказывать о положении этих двух гениев человечества. Но дело в том, что если говорить о детях, то у Веласкеса у первого, а может быть, и у последнего детская тема выглядит как тема трагическая. Об этом мы с вами не говорили, потому что этого не было.

Попытка создать личность в ее становлении, ее характер — Веласкес изображает человека, живущего в мире трагическом и трагически мир ощущающего, а он осознавал мир только трагически. Он был приобщен к трагическому началу и поэтому особо чувствовал слабые звенья человека. У него была особая чувствительность.

В XVII веке в обсуждаемой нами проблеме появляется очень важный момент: это изображение детей в детском возрасте, потому что если мы с вами возьмем эпоху Возрождения, то дети там — маленькие взрослые. Там понятие «детскость» как некоторая определенная фаза психического, эмоционального развития не намечалась. Питер Брейгель игнорирует и момент возраста, и возрастную диалектику, и психическое становление, эволюцию психики. У него на этом построена огромная концепционная картина «Игры детей». В XVI веке дети — взрослые, а взрослые — дети. Или взрослые — никогда не возрастающие дети, или дети, которые рождаются уже со всем комплексом взрослого человека. В XVI веке возрастного прослеживания не наблюдается. Дети в изобразительном искусстве в их возрастном определении, изображение их возраста, их эмоций появляется только в XVII веке. Но и здесь мы видим изображение детей в определенном контексте, определенном положении в обществе: это королевские дети, дети высокопоставленных людей, это придворные дети. Это накладывает определенный отпечаток. Детское подавляется в ребенке очень рано, происходит жесткое, а порой и жестокое введение детей в систему социального воспитания. У Веласкеса это буквально превращается в проблему психического катаклизма, трагедии, столкновения между непосредственностью ребенка, его необходимостью двигаться, воспринимать мир через эмоции, впечатления и теми законами воспитания, законами социальными, внутри которых этот ребенок находится. Веласкес просто дает жесткую раздвоенность конфликта.

Когда мы говорим, что Веласкес был приобщен к опыту трагическому, то имеем в виду очень глубокие вещи. Например, посмотрим на его картину «Принц Бальтазар Карлос с карликом». На этом портрете изображен дон Бальтазар (инфант, наследник испанского престола, сын короля Филиппа IV и его первой жены — Изабеллы Бурбонской) и его воспитатель. Веласкес пишет дона Бальтазара в очень интересном и противоречивом разрыве. С одной стороны, изображен наследный принц, а с другой — перед нами ребенок, которому исполнился 1 год. Именно поэтому Веласкесу и был заказан портрет.

Дон Бальтазар по этому поводу облачен в парадные одежды. А рядом — подушка. Ее величина равна величине дона Бальтазара, то есть этот предмет равен человеку. На подушке лежат стигматы, символы власти: шлем маршала, потому что он уже маршал Испании, вместе с жезлом. Все это выставлено, как в экспозиции. Дона Бальтазара уже можно поставить во главе войска.

Ему уже присвоено звание, но он этому не соответствует, потому что Веласкес пишет его абсолютно бессмысленным и годовалым. Пуговичные глаза, кружевной воротник и колоссальные усилия по поводу того, чтобы удержаться на ногах. Этот контраст и есть трагическое, потому что он, может, таким же дураком и останется, а будет потом маршалом Испании. Это трагическая обреченность человека, несоответствие человека тому месту в жизни, которое он занимает. Это несоответствие является трагическим и для личности, и для мира.

Конечно, мы знаем, что никаким маршалом Испании этот бедный ребенок не станет (но Веласкес-то об этом знать не мог!), он проживет всего 17 лет, скончается от болезни в короткий срок в 1646 году. А надежды на него возлагались просто огромные, ведь до него все рожденные в браке короля Филиппа IV и его первой жены Изабеллы Бурбонской дети умирали во младенчестве. А этот мальчик прожил целых 17 лет, был обручен с Марианной Австрийской, которая впоследствии, после смерти своего жениха, станет второй женой Филиппа IV.

Дон Бальтазар на картине изображен с воспитателем, и этот воспитатель — карлик. В Испании было принято воспитателями и секретарями брать карликов. Существует соображение, что у испанцев было чувство вины перед этими «уродами». Это не так. У испанцев комплексов неполноценности не было. Карлики считались охранителями и священными существами, их приставляли к детям как педагогов и воспитателей.

Карлик Доминико Эль Примо был личным секретарем Филиппа IV. А карлица, которая была воспитательницей Маргариты, изображена с орденом, который не каждый мог получить. Эти карлики были хозяевами. Они держали детей в очень большой строгости.

Веласкес демонстрирует нам несоответствие этих элементов: годовалому, бессмысленному Бальтазару надо еще встать на подушку, чтобы быть социально выше карлика. Интересна для рассмотрения деталь — изображение лиц инфанта и карлика. Бессмысленность, пуговичные глазки — у дона Бальтазара и духовная мощь — у карлика. Кто здесь человек-карлик и карлик-человек? Ведь не случайно говорили о Веласкесе, что у него на картинах карлики — с душами гигантов, а вельможи — с душами карликов.

Эти трагические разрывы у Веласкеса бесконечны. Карлик изображен с таким лбом, совершенно нет здесь никакой неполноценности, наоборот, необыкновенная мощная сила внутренняя. И на контрасте — абсолютная слабость в самом великом — в доне Бальтазаре. В этом есть разрыв и несоответствие. Карликов — этих маленьких людей — Веласкес писал с сильными лицами, с огромным внутренним преимуществом. Художник видел эти разрывы. У него и детская тема особым образом раскрывается.

1635 год. Картина Веласкеса «Конный портрет принца Бальтазара Карлоса». Дон Бальтазар уже сидит на огромном битюге, который может вынести Фальстафа. На этого огромного битюга посажена маленькая куколка, марионетка во всех отношениях. Потому что для него всё предопределено теми руками, которые будут дергать его за ниточки. Человек есть марионетка. Эта его марионеточность, невсамделишность в данном случае всячески проиграна Веласкесом.

Веласкес не делает для нас тайны из своей мысли. Дети у Веласкеса все очень глубоко несчастны, они обездвижены, лишены возможности двигаться, действовать, развиваться. Это есть тема насилия над детским существом, над детским естеством. Это тема насилия над ребенком, которое позволяют себе взрослые люди. Она вызывает в душе Веласкеса очень большой срыв. Ни один из портретов он никогда не пишет так, как детские портреты.

То же самое мы наблюдаем в портретах инфанты Маргариты. Портреты этого ребенка Веласкес пишет часто: в 1653 году — полотно «Портрет инфанты Маргариты», в 1654 году — «Портрет инфанты Маргариты в белом», следующий «Портрет инфанты Маргариты» в 1655-м, затем знаменитые «Менины», 1656 год, и «Портрет инфанты Маргариты в голубом» в 1659 году. В изображении этой маленькой девочки всего слишком много для такого тщедушного и крошечного тела: драпировки тяжелые, огромное платье, на специальную картонку наклеены волосы, к которым привязан ярко-красный хвост ленты, золотая цепь, которая идет от правого плеча к левой руке, в правой руке платок, в левой — букет. Почему? Потому что не полагается людям «хлопотать» руками. Они должны разговаривать без рук. Испанский этикет был сложен и непомерно строг. В журнале «Вокруг света» была размещена статья «Тайны королевы Анны», и там очень подробно говорилось о происхождении Анны (испанские корни) и об испанском этикете: «Об испанской крови напоминали только темно-карие, почти черные, глаза, говорящие о пылкости чувств. Однако эти чувства почти никогда не прорывались наружу: принцессу воспитали в несокрушимых традициях придворного этикета, которые превращали венценосных особ в настоящих мучеников. К примеру, король не имел права сам налить себе вина — это делал виночерпий, передававший кубок придворному врачу, двум служителям и только потом королю. Пустой кубок с теми же церемониями возвращали на место.

От сложностей этикета особенно страдали непривычные к нему иностранцы. На пути в Мадрид австрийской принцессе Марии — будущей второй жене Филиппа IV — поднесли в дар шелковые чулки, но мажордом тут же выкинул подарок, отрезав: «У королевы Испании нет ног». Бедная Мария упала в обморок, решив, что ее ноги принесут в жертву чудищу этикета. Отец Анны Филипп III умер от угара: его кресло стояло слишком близко к камину, а единственный гранд, способный его отодвинуть, куда-то отлучился. Но именно Филипп IV довел этикет до совершенства. Говорили, что он улыбался не больше трех раз в жизни и требовал того же от своих близких. Французский посланник Берто писал: «Король действовал и ходил с видом ожившей статуи… Он принимал приближенных, выслушивал и отвечал им с одним и тем же выражением лица, и из всех частей его тела шевелились только губы». Тот же этикет заставлял испанских монархов оставаться узниками дворца, ведь за его пределами было немыслимо соблюдать сотни правил и условностей. Дед Анны, Филипп II, великий государь и кровавый палач протестантов, выстроил близ Мадрида роскошный и мрачный замок Эскориал, но его потомки предпочитали более скромный Алькасар. Дворцы по восточному обычаю — ведь Испания сотни лет оставалась во власти арабов — делились на мужскую и женскую половины. Днем в обеих кишели придворные, шуты и карлики, но после захода солнца ни один мужчина, кроме короля, не мог оставаться на женской территории. Честь королевы или принцессы должна была оставаться вне подозрений. Даже прикосновение к руке коронованных дам каралось смертью. Известен случай, когда два офицера вытащили инфанту Марию-Терезию из седла взбесившегося коня. Им тут же пришлось во весь опор скакать к границе, спасая свои жизни» (Вадим Эрлихман. Загадки истории: Тайны королевы Анны // Вокруг света. 2005. № 5).

Так вот, испанский этикет распространялся не только на взрослых людей, но и на детей, причем с самого их рождения. Поэтому дети у Веласкеса маленькие, хилые, неокрепшие, они должны развиваться, ходить, двигаться.

Портрету инфанты Маргариты Павел Антокольский посвятил свои стихи:

Художник был горяч, приветлив, чист, умен.
Он знал, что розовый застенчивый ребенок
Давно уж сух и желт, как выжатый лимон;
Что в пульсе этих вен — сны многих погребенных;
Что не брабантские бесценны кружева,
А верно, ни в каких Болоньях иль Сорбоннах
Не сосчитать смертей, которыми жива
Десятилетняя. Тлел перед ним осколок
Издерганной семьи. Ублюдок божества.
Тихоня. Лакомка. Страсть карликов бесполых
И бич духовников. Он видел в ней итог
Истории страны. Пред ним метался полог
Безжизненной души. Был пуст ее чертог.

Дуэньи шли гурьбой, как овцы. И смотрелись
В портрет, как в зеркало. Он услыхал поток
Витиеватых фраз. Тонуло слово «прелесть»
Под длинным титулом в двенадцать ступеней.
У короля-отца отваливалась челюсть.
Оскалив черный рот и став еще бледней,
Он проскрипел: «Внизу накормят вас, Веласкец».
И тот, откланявшись, пошел мечтать о ней.

Дни и года его летели в адской пляске.
Всё было. Золото. Забвение. Запой
Бессонного труда. Не подлежит огласке
Душа художника. Она была собой.
Ей мало юности. Но быстро постареть ей.
Ей мало зоркости. И всё же стать слепой.

Потом прошли века. Один. Другой. И третий.
И смотрит мимо глаз, как он ей приказал,

Инфанта-девочка на пасмурном портрете.
Пред ней пустынный Лувр. Седой музейный зал.
Паркетный лоск. И тишь, как в дни Эскуриала.
И ясно девочке по всем людским глазам,
Что ничего с тех пор она не потеряла —
Ни карликов, ни царств, ни кукол, ни святых;
Что сделан целый мир из тех же матерьялов,
От века данных ей. Мир отсветов златых,
В зазубринах резьбы, в подобье звона где-то
На бронзовых часах. И снова — звон затих.

И в тот же тяжкий шелк безжалостно одета,
Безмозгла, как божок, бесспорна, как трава
Во рвах кладбищенских, старей отца и деда, —
Смеется девочка. Сильна тем, что мертва.

Павел Антокольский, «Портрет инфанты», 1928

Это поистине испанская тема — насилие над ребенком, насилие над человеком. Насилие над хрупким, над слабым существом мы чувствуем в этой картине. У Веласкеса нет особого глубокого анализа детской личности, детского характера. Он в инфанте Маргарите, которую очень любил, видит чахлое растение, чахлый цветок. В ней есть уже все следы вырождения: голубые височки, тяжелые веки, тяжелая челюсть. Это человек, обреченный на трагическую смерть. На смерть от малокровия от смешанных браков. Это трагические люди, обреченные марионетки. Этот вечный тяжелый и бесполезный, бессмысленный труд.

Глава 7

Век XVII. «Du comme il faut...»

XVIIвек — это век изображения детей. Совершенно другие, нежели у Диего Веласкеса, дети у представителя золотого века голландской живописи, художника Харменса ван Рейна Рембрандта.

Для Рембрандта не характерно такое чувство трагического, как для Веласкеса. У него даже в последних работах этого нет. Он был мудрый, очень оптимистически настроенный человек, но главное, он был очень счастливый человек, жил всегда внутри своего мира и сумел добиться того, что его мир художника был полностью реализован, его мир был адекватен его человеческому началу. Поэтому в творчестве этого художника мы не найдем той трагичности, в которой жил Веласкес.

Рембрандт жил так, как он хотел того. Он сам выбрал себе свою жизнь и последовательно эту жизнь осуществлял. У нас в литературе всё путается. Мы считаем, что если Рембрандт сначала женился и был богат, а потом у него стало меньше денег, то от этого он несчастен или был несчастен оттого, что его не признавали голландцы.

А художнику не нужно было, чтобы его признавали. Он творил то, что хотел, он жил в согласии с самим собой как Художник. Он постигал ту сторону мира, которая была ему открыта. Поэтому у Рембрандта люди лишены ущербности и трагичности. У него люди необычайно глубокие, необычайно открытые. Он открывает тайну бытия, диалектики человеческого сознания. Рембрандт единственный среди портретистов XVII века создал диалектический портрет. Это очень сложная вещь. Он действительно открывает тайны человеческого сознания. У Рембрандта ребенок — открытая эмоциональная система, не заранее обреченная и сломанная марионетка, которую жалко так, что нет слов, и помочь нельзя, а это, в первый раз в искусстве, ребенок — как мир, распахнутый эмоционально, как помещение с открытыми настежь окнами, как система, готовая для любого впечатления, открытая для эмоционального восприятия.

У Рембрандта Харменса ван Рейна есть замечательные детские портреты, у него есть «Святое семейство». Там тоже есть особая интонация, которую мы никогда не увидим в искусстве. Это тема именно контакта духовного, эмоционального. У Рембрандта очень большое значение имеет система эмоциональных связей, связей человека с миром и людей друг с другом.

Если в эпоху Возрождения эта связь — семья, то здесь эта связь — истина. Рембрандт очень часто рисует своего сына. И этот ребенок, его сын, для художника бесконечно разнообразная модель, так же как он сам для себя в своих автопортретах. Для него сын — не идеальный мальчик, а человек в различных фазах становления жизни. Рембрандт изучает диалектику сознания и формирования своего эмоционального мира через свои автопортреты, изучает то же самое у своего ребенка, начиная с момента его рождения.

Поэтому, может быть, так близки в своем изображении детей два таких художника, как Леонардо да Винчи в эпоху Возрождения, ученый, жесткий, лишенный эмоций исследователь, и Рембрандт Харменс ван Рейн, художник XVII века, который именно эмоцию, эмоциональную связь людей с миром и между собой берет за основу действий личности.

* * *

Для Голландии в этом смысле культура эта уникальная — мы говорим о Рембрандте как о мастере, который поставил изображение ребенка в качестве задачи всего творчества, потому что в Голландии есть художники, у которых дети в композицию картины попадают как бы случайно.

У Питера де Хоха, голландского живописца, который преимущественно изображал сцены бюргерского быта, нет задачи изображения человека, как у Рембрандта, у него нет задачи изображения человеческих отношений, он мастер интерьера, но в интерьере у него действуют люди. Если посмотреть на голландские картины, то мы увидим совершенно новую черту — контакт родителей с детьми. Не семья как представительство, а контакт человеческий. Это контакты многоликие, многогранные.

У Рембрандта это установка на духовную связь, на эмоциональную связь, а у голландцев — на бытовые связи, на обучение, на учительство детей по опыту родителей. Например, у Питера де Хоха мама ищет в голове у девочки насекомых, вычесывает, показывает ей что-то, одевает ее, моет, показывает ей то, что собирается нести на стол, берет за руку, что-то рассказывает, — тут постоянно действует педагогическая система, педагогика: родители обучают детей — не как в школе, чтоб все как один были обучены на «5», а на уровне своего опыта (картины: «Материнская обязанность», «Женщина с ребенком в кладовой», «Задний двор», «Две женщины с ребенком во дворе», «Женщина и ребенок на лужайке для отбеливания белья» и др.).

Мы бы даже сказали, что в данном случае во взаимоотношения вторгается система социального воспитания ребенка. Для XVII века эта система социального воспитания ребенка имеет очень большое значение. Не всюду, не везде. Испания — особая статья. Там был Веласкес, художник, равный Шекспиру или Сервантесу по осмыслению мира как трагического. В Испании на первом месте — соблюдение этикета, соответствие жестким правилам. А у Рембрандта уже есть эмоциональные связи, и, понятно, что есть главное. А у голландцев ребенок общается с матерью. Идет обучение. Эта система очень интересна.

Вот, например, тихая прекрасная картина: мирная жизнь какого-то буржуазного голландского семейства. Отец уходит на работу, девочка играет с обручем, что-то спрашивает у матери, мать ей отвечает. То есть девочка не абстрактно катает обруч, а общается со своей матерью, это процесс обучения, общения. Здесь вы нигде не увидите детей, вынутых из социальной среды. Они в этой среде, как в коробке, в этой среде, как в среде взрослых. Они существуют в другой системе взаимоотношений, а поэтому в другой системе сознания.

XVII век показывает нам отношения между взрослым человеком и ребенком как отношения духовного порядка, отношения социального порядка, то есть это именно порядок отношений.

На картинах голландцев XVII века — изображение женщины, которая не просто ведет за руку девочку, она общается с этой девочкой. Художник направляет свое внимание на общение. И этот социум общения появляется только в искусстве XVII века. Если переводить это на какой-то иной язык, взять и оформить эту мысль через педагогику, то мы условно можем сказать, что в искусстве XVII века появляется изображение ребенка именно в процессе обучения, в системе самого педагогического процесса или взаимодействия взрослого человека и ребенка, чего до этого в искусстве не существовало.

Мы хотим вам показать поразительного в этом смысле художника — Ван Дейка, ученика Рубенса, который работал в Англии.

Англичанам вообще не везет: они в искусство входят тогда, когда их кто-нибудь изображает.

В 1532 году знаменитый художник, немец, Ганс Гольбейн (Младший) прибыл в Англию, где стал придворным живописцем Генриха VIII. Надо заметить, что с исторической точки зрения Гольбейн оказался при дворе Генриха VIII очень вовремя. Надо было угадать так попасть: приехал — и всё написал.

А потом наступает период затишья, ровно до приезда следующего гения. В XVII веке в Англию в качестве придворного живописца приглашён знаменитый фламандский художник, мастер придворного портрета Антонис Ван Дейк. Если вы хотите получить представление о Ван Дейке-портретисте, вам просто необходимо побывать в Эрмитаже, где собрана потрясающая коллекция портретов кисти этого художника. В Англии моделями Ван Дейка становятся особы лондонской аристократии, основными заказчиками были король, члены его семьи, придворная знать. Портрет в Англии был господствующим жанром, англичане стали сами себя изображать по методу Ван Дейка.

Ван Дейк работает в очень интересный исторический момент. Он пишет портреты Карла I, королевы Генриетты-Марии, Вильгельма Оранского, у него замечательные портреты королевских детей. По сути, Ван Дейк стал создателем официального парадного портрета.

Посмотрите на «Портрет Филиппа, лорда Уортона», написанный в 1632 году. Этого мальчика зовут Филипп Уортон, ему исполнилось 14 лет.

«Я должна вам рассказать историю автобиографическую, которая имеет очень большое значение. Я очень мно-

гим, лично я, обязана лорду Филиппу Уортону, как ни одному мужчине в своей жизни, потому что я в него влюблена была до 18-летнего возраста, и он абсолютно ликвидировал какую бы то ни было систему общения с мальчишками. У меня был своеобразный эталон. У моего отца была прекрасная библиотека, и в одной из книг был изображен лорд Филипп Уортон в белом атласном плаще и в бархатном камзоле. И я как открыла его, поняла, что это — мое божество, мой кумир. В нем было всё. Может ли какой-нибудь мальчик из советской школы сравниться с лордом Филиппом Уортоном? Моей дочери было 10 лет, когда она влюбилась в портрет Томаса Гейнсборо «Мальчик в голубом». У меня тоже библиотека, она там обнаружила этого «Мальчика». Мы выяснили его имя, биографию. Она тоже его полюбила. Я только рада, потому что понимаю, что она будет так же в жизни надежно застрахована, как и я. В моей жизни были только высокие эталоны. После лорда Филиппа Уортона был лорд Байрон, а потом я вышла замуж. Это действительная история, реальная».

Голландцы готовят своих детей к деятельности, то есть они их сознательно готовят к деятельности — это не то, что Питер Брейгель изображает играющих детей и мыслит их взрослыми, — это целый трактат о деятельности человека. Англичане точно так же воспитывают своих детей — вкладывают в них необходимые знания и навыки.

XVII век — это век сознательных проблем педагогики и воспитания. Автор не читала книг по педагогике, но уверена, что это так, потому что явно видно в искусстве. Происходит абсолютно сознательная установка на социологизацию личности.

Голландцы развивают детей на бюргерском уровне, Рембрандт на своем сыне это показал, а англичане готовят на свое усмотрение своих граждан.

Лорд Филипп Уортон в свои 14 лет — это человек, который уже ездит на лошади, который может вести прием, который может быть в будущем премьер-министром, кем угодно, а на самый худой конец он может быть подготовленным к дипломатической деятельности аристократом. То есть это человек, который психологически формируется уже с детства.

Что входит в этот кодекс воспитания? Система социального поведения, потому что она здесь налицо. Это видно по тому, как этот человек стоит, как он держится. Понятно, что эта педагогика у него уже за спиной. Это система взаимоотношения с миром, потому что это именно англичане рождают тип «денди», тем более что был такой человек, фамилия которого была Денди. Именно англичане — родоначальники европейского дендизма. Этот дендизм просто оформляется в XIX веке через имя человека, который все эталоны дал, программу дендизма, так же как король Артур дал европейский дворянский кодекс рыцарства. Дендизм возникает как форма борьбы аристократии с новыми устоями, бытом, моральными ценностями буржуазного уклада. Денди противопоставляют утонченную изысканность внешности, манер тому, что Александр Сергеевич Пушкин назовет в своем романе vulgar. Быть денди — значит не быть вульгарным. Современный английский словарь-тезаурус Роже дает на vulgarity следующие аналоги: плебейство, плохое воспитание, дур-

ной вкус, неделикатность, моветон, филистер-
ство, варварство, провинциализм, нарочитость.
К слову «vulgar» приводятся синонимы: топор-
ный, грубый, неэлегантный, неуклюжий, вызы-
вающий и т. д. В России XIX века в высшем свете
«дендизм» очень приветствовался, такое поведение считалось эталоном. Достаточно вспомнить,
как описывает А.С. Пушкин встречу Татьяны и Ев-
гения:

Она была нетороплива,
Не холодна, не говорлива,
Без взора наглого для всех,
Без притязаний на успех,
Без этих маленьких ужимок,
Без подражательных затей…
Все тихо, просто было в ней,
Она казалась верный снимок
Du comme il faut… (Шишков, прости:
Не знаю, как перевести.)

Никто б не мог ее прекрасной
Назвать; но с головы до ног
Никто бы в ней найти не мог
Того, что модой самовластной
В высоком лондонском кругу
Зовется vulgar. (Не могу…)

…Княгиня смотрит на него…
И что ей душу ни смутило,
Как сильно ни была она
Удивлена, поражена,
Но ей ничто не изменило:

В ней сохранился тот же тон,
Был так же тих ее поклон.

Ей-ей! не то чтоб содрогнулась
Иль стала вдруг бледна, красна…
У ней и бровь не шевельнулась;
Не сжала даже губ она.

А.С. Пушкин. Евгений Онегин, гл. VIII

Англичане, в отличие от нас, русских, очень обе-
регают свой внутренний мир. Они — полная нам
противоположность. Нам главное — поговорить
по душам, послушать, не что тебе кто говорит, а
что ты сам говоришь. Поэтому все попытки Петра
надеть хоть какую-то пристойность на раскрытие
собственной души, как потом выяснилось, имели
успех только до второй рюмки. До второй рюмки
наши аристократические круги еще придержива-
лись правила, а уже на третью все шло по-старому.
Поэтому попытка в России введения этикета никак не осуществилась. Поэтому нужны были усилия
первого директора Императорского Царскосельско-
го лицея Василия Федоровича Малиновского, чтобы выпустить одно поколение лицея, за счет которого мы до сих пор все существуем. Как только нам
надо сказать об интеллигенции, мы сразу вспоми-
наем Дельвига, Пушкина, Кюхельбекера — тот же
лицейский выпуск.

В английском обществе эта система социального поведения в аристократических семьях заклады-
валась с самого раннего возраста, это входило в систему воспитания просто сразу, изначально. Еще
король Артур дал правила поведения. Англичане

очень берегут свою душу. Они противопоставляют этой открытости не только закрытость, но и свою систему общения с миром: внешнюю холодность, внешнее высокомерие. Все эти системы у аристократов вырабатываются, потому что они им необходимы, чтобы никто их руками не хватал, чтобы защититься, закрыться. Это уже результат воспитания. Английские аристократы такими не родились, их такими воспитывают.

В качестве примера давайте посмотрим совершенно обворожительный портрет Ван Дейка «Трое старших детей короля Карла I Английского». На картине два будущих короля Англии — Карл II Стюарт и Яков II Стюарт (одет в платье, так как по традиции того времени всех детей до 7 лет одевали в платье) — и их сестра Мария. Но на этом портрете мы видим не будущих королей, а детей от 2 до 6 лет. Интересно сравнить этих детей с детьми Веласкеса. У Веласкеса понятно, что мы имеем дело с трагичностью, трагической обреченностью этих детей, марионеточностью этих детей. А здесь мы имеем дело со школой. Англичане детей начинают воспитывать, учить этикету, их учат, как надо стоять, как надо ходить. Обратите внимание, как стоят эти дети, как они держат голову, как сложены их руки.

Здесь показана школа воспитания детей. Но только по тому, как Ван Дейк пишет детские лица: с непосредственной живостью этих лиц, как он пишет их подвижными внутри себя, мы понимаем, что, как только кончится церемония изображения на портрете, они войдут в состояние детской подвижности, детского общения, детского мира. Всё находится на уровне детском. Эти дети с очень раннего времени подвергаются определенному психологическому и социальному воспитанию через поэтапное воспитание. Это мы наблюдаем на большом количестве портретов начала XVIII века.

Эль Греко. Погребение графа Оргаса. 1586–1588 гг.

Диего Веласкес. Принц Бальтазар Карлос с карликом. 1631 г.

Диего Веласкес. Принц Бальтазар Карлос на коне. 1635 г.

Диего Веласкес.
Портрет инфанты
Маргариты в белом.
1654 г.

Диего Веласкес.
Портрет инфанты
Маргариты. 1655 г.

Диего Веласкес. Портрет инфанты Маргариты в голубом. 1659 г.

Рембрандт. Святое семейство. 1645 г.

Рембрандт. Титус,
сын Рембрандта.
1665 г.

Рембрандт.
Семейный портрет.
1666–1668 гг.

Питер де Хох.
Женщина
с ребёнком
в кладовой. 1658 г.

Питер де Хох.
Материнская
обязанность.
1658–1660 гг.

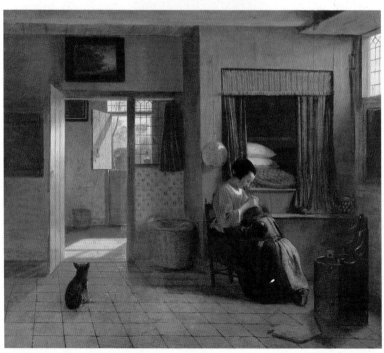

Питер де Хох. Дворик в Дельфте. 1658 г.

Ганс Гольбейн (Младший).
Портрет Генриха VIII.
Около 1537 г.

Антонис ван Дейк.
Портрет Филиппа,
лорда Уортона.
1632 г.

Антонис ван Дейк.
Портрет Вильгельма
Оранского и Генриетты
Марии Стюарт. 1641 г.

Антонис ван Дейк.
Портрет трёх старших
детей Карла I. 1635–1636 гг.

Жан Батист Симеон
Шарден. Молитва перед
обедом. 1744 г.

Жан Батист Симеон
Шарден. Прачка. 1735 г.

Жан Батист Симеон Шарден. Мальчик с карточным домиком.
Около 1740 г.

Томас Гейнсборо. Дочери художника с кошкой. Между 1759 и 1761 гг.

Томас Гейнсборо. Мальчик в голубом. 1770 г.

Мари Элизабет Луиза Виже-Лебрен. Автопортрет с дочерью. 1789 г.

Глава 8

Век XVIII. «В сплетеньи рук — судьбы сплетенье»

В XVII веке постановка вопроса в искусстве, связанного с изображением детей, очень отличается от того, как изображали детей в искусстве до этого времени. Она отличается совершенно другим углом зрения, совершенно другой проекцией на этот вопрос. Что появляется в XVII веке относительно того, как изображались дети в искусстве до этого? В эпоху Возрождения изображали детей как членов семьи, дворянского, аристократического рода, геральдики, преемственной связи, фамилии. В XVII веке появляются две совершенно новые тенденции: во-первых, это изображение взрослого человека в связи с ребенком, не просто самого по себе ребенка, не семьи как представительства, а взаимодействия взрослых людей и ребенка; во-вторых, это изображение детей в их возрастном определении.

В XVIII веке эти процессы продолжаются, то есть продолжается развитие тех же линий, которые намечались в XVII веке: изображение ребенка с учетом его психофизиологических особенностей и процесса взаимосвязи взрослого человека и ребенка, процесса сознательного, педагогического или духовного воздействия взрослого на ребенка.

Очень интересно эти темы раскрываются в творчестве французского художника XVIII века Жана Батиста Симеона Шардена. В его творчестве дети занимают очень большое место. Они уже не являются второстепенным или малозначимым элементом в картине. Ребенок у Шардена становится таким же серьезным, важным и ответственным персонажем внутри художественной задачи, как и взрослый человек. В этом смысле показательны картины: «Молитва перед обедом», «Кухарка с ребенком», «Прачка».

Шарден рано стал известен как мастер натюрморта, в 1728 году за представленные натюрморты был избран академиком. В своих картинах художник показывает предметы, которые повседневно окружают человека, обычный бытовой мир приобретает строгую внутреннюю закономерность и ритмичность. Для кисти Шардена характерно стремление к классической ясности, простоте. Но Шарден был не только мастером натюрморта, он был еще и мастером бытового жанра: работы художника наполнены внутренней гармонией, теплом, спокойствием и какой-то внутренней одухотворенностью. Его называли живописцем «третьего сословия» и художником «тихой жизни». Творчество Шардена является связующим звеном между Веласкесом, Рембрандтом, Вермером и импрессионистами нашего времени. Картины этого художника на первый взгляд очень просты, скромны, может быть, даже незатейливы. Но это — только на первый взгляд. Удивительные оттенки неярких и неброских красок, тонкий переход света не могут быть переданы словами. Этими картинами надо уметь любоваться.

Шарден пишет будничные сценки из жизни третьего сословия. «...Отказ от развлекательности и нарочитых эффектов, преданность натуре, изображение людей и вещей такими, какими их можно видеть в жизни, но какими их никогда до этого не изображали художники Франции, привлекали внимание к этим произведениям.

Картины Шардена по содержанию камерны, и их небольшой формат оказывается единственно возможным. Наше внимание концентрируется на ограниченной, но достойной внимания сфере жизни — на теплоте человеческих чувств, на добром согласии, которые царят в семьях скромных парижан. Этим настроением проникнута почти каждая его работа.

С благоговением и подлинным лиризмом изображает художник женщину-наставницу, воспитывающую у своих питомцев добрые чувства. И это обращение к разуму ребенка, забота о его нравственном воспитании, о соблюдении им норм поведения характерны и типичны для времени распространения просветительских идей (“Молитва перед обедом”, “Гувернантка”)», — пишет Ю.Г. Шапиро.

Давайте посмотрим на картину «Прачка», написанную Шарденом в 1735 году. Обычная бытовая сцена — мать стирает, а ребенок, мальчик, сидит около нее на стульчике и через соломинку пускает мыльные пузыри. При этом каждый из них сосредоточен на своем деле. И если мать занята, то ребенок имеет полное право тоже заняться своим делом — например, увлеченно пускать пузыри. То есть ребенок показан совершенно скорректированным со своим возрастом. При всем этом мы ощущаем связь — ребенок связан с матерью, это продолжение линии связи между взрослым человеком и ребенком и объединение их через единое психологическое и социальное пространство.

Эта связь очень любопытно показана у Шардена в таких картинах, как «Молитва перед обедом» и «Кухарка с ребенком». Художник, конечно, показывает эту связь не сознательно, не потому, что он педагог, не потому, что он ставит педагогическую задачу, а это происходит на совершенно бессознательном уровне, это нечто новое в отношении к детям, очень сильное разделение взрослого и ребенка. И если XVII век лишь намечает эту систему общения, воздействия воспитания, то у Шардена эта линия углубляется, очень отчетливо проступает: мать учит детей, как вести себя за столом. И прежде чем она нальет им еду в миску, они должны определенно положить ручки и определенным образом произнести определенные слова. В процессе развития, обучения дети и взрослые — не одно и то же. Если у Веласкеса или у Ван Дейка, или у других художников XVI века маленький человек обязан был с очень раннего возраста входить в систему занятий и проблем взрослых людей, то в XVIII веке отчетливо выступает мысль: дети есть дети. Они живут по своим законам, они заняты своими делами, и если мать стирает, то они на вполне законном основании пускают свои мыльные пузыри.

То есть наконец-то, начиная с XVII века и утверждаясь в веке XVIII, дети становятся буквально полным, самостоятельным объектом изображения в искусстве как таковом, со своим возрастом, занятиями, характерными для него же.

Автор никогда не задумывалась относительно того, почему именно французское искусство XVIII века уделяет такое большое внимание изображению детей. Почему именно в это время появился вопрос возраста, возрастной психологии, характер соотнесения психологии детской, с их занятиями и социальным воспитанием? Скорее всего, просветительские мысли оказали свое влияние на развитие общества. Вероятно, в науке педагогике становления возрастной психологии есть ответы на эти вопросы, но стоит предположить, что и в науке, и в искусстве точки зрения почти что совпадут.

С XVII века детская тема занимает совершенно особое положение в искусстве. Развитие этой темы ребенка, уже изображение ребенка и возрастной психологии мы сейчас проследим.

Речь пойдет о картине Шардена «Мальчик с карточным домиком». Художник изображает мальчика, сидящего за столом и очень увлеченного своим занятием. Мы уже отмечали, что Шарден — большой мастер бытовых сцен, ему не интересны «пойманные» мимолетные выражения чувств, он не изображает сознательно психологическую сложность детского образа, этот детский портрет — просто фрагмент бытовой сцены. Мальчик занимается тем, что он играет, расставляя карты. В ящичке мы видим торчащие карточки, он играет в солдатиков, грубо говоря. Солдаты через карты. Карты для ребенка являются предметом игры. Мальчик изображен Шарденом целиком погруженным в это занятие точно так же, как и маленький человек, сидящий у своей матери-прачки, поглощенный своим занятием — пусканием пузырей. Опять вернемся к прачке. Посмотрите, у нее взгляд вынесен за пределы кадра, потому что, стирая, она отвлечена, ее привлекает нечто выходящее за пределы этой картины. К мальчику это не имеет никакого отношения, он погружен в свою игру. И вот эта игра занимает его настолько, что он полностью с ней адаптирован. Давайте вспомним: у Леонардо да Винчи в картине «Мадонна с цветком» была такая же полная психологическая отдача этому детскому занятию.

Мы уже говорили, что Леонардо есть Леонардо, это художник, который работает не только с опережением, он работает в максимально психологическом алфавите мира вообще. Есть очень интересные соображения о нем как о художнике, и автор к этому приходит все больше и больше.

Мальчик у Шардена целиком и полностью поглощен игрой. Никаких дополнительных состояний нет. Ребенок показан гармонично, он показан гармонично своему возрасту. Шарден показывает гармоничность занятий, гармоничность духовно сосредоточенного состояния, с тем занятием, которому он предается, то есть с игрой. И даже сам характер игры соответствует его возрасту. То есть в искусстве художники показывают, как балансируются, в какую гармонию приводятся ребенок и его занятие, это духовное и психологическое, полная включенность, процесс полного соотнесения.

Мир, в котором работает Шарден, образ мира, который близок Шардену, — это французские буржуа. И дети всегда показаны занятыми делом. Это не важно каким: пускают пузыри, играют в солдатиков, но они обязательно показаны занятыми делом.

В XVIII веке, когда тенденция в изображении детей имеет очень большое значение, развитие темы ребенка как мира, уже совершенно самостоятельного, мира, соотнесенного с его возрастом, мира, который является духовным наполнителем этого человека, имеет две тенденции: аристократическую и буржуазную. Буржуазные дети всегда заняты делом. Они обязательно изображены при каком-то действии деловом.

А вот такой художник XVIII века, как Томас Гейнсборо, английский живописец, исполнял заказы для английской знати и королевских особ. Гейнсборо был аристократом, причем из очень старинного рода, очень консервативного. И предметом его изображения была английская аристократия. У Гейнсборо был огромный дар передавать настроение модели и почти фотографическое сходство с оригиналом. Художник много пишет детских портретов, не меньше Шардена. Но у Гейнсборо в изображении детей проступает иная тема — тема очень глубокой детской духовности и какой-то поэтичности внутреннего мира ребенка. Художник пишет своих маленьких моделей в глубоком душевно-эмоциональном контакте. Не деловые отношения с миром, а глубокий эмоциональный контакт, эмоционально-духовная деятельность. Ю.Г. Шапиро пишет: «Герои его картин полны внутренней взволнованности и по-настоящему поэтичны. Одухотворенность образов особенно ощутима благодаря внешней сдержанности в выражении чувств и сознательной "недосказанности" не только в мимике, но и в характере пейзажного фона. Он написан обычно легкими, "тающими" мазками и является своеобразным аккомпанементом, подчеркивающим лирическое звучание произведения». Стоит заметить, что в портретах Гейнсборо пейзаж играет гораздо более важную роль, чем у остальных английских портретистов.

Гейнсборо располагает своих моделей на фоне различных пейзажей. Знаменитый «Мальчик в голубом», «Портрет дочерей, преследующих бабочку», «Деревенская девочка», «Портрет дочерей художника с кошкой» — везде Гейнсборо соединяет портрет и пейзаж.

«Мальчик в голубом» написан в 1770 году. Здесь есть один интересный момент — Гейнсборо в качестве модели юного аристократа берет сына простого торговца скобяными товарами Джонатана Баттла. Это несоответствие пусть и не очевидно, но улавливается подспудно. Вспомните «королевские» портреты Ван Дейка. Какие глаза, какое выражение лица — редкостное для XVIII века проникновение в духовный мир, особенно если учесть, что это — духовный мир ребенка.

Гейнсборо очень много пишет своих дочерей, у него было две дочки, и он пишет их с самого маленького возраста до того момента, когда они уже стали барышнями и вышли замуж. Девочки изображены сидящими в саду, их объятия, головы, прижатые друг к другу; голова маленькой девочки прижата к старшей, — вся композиция этого парного портрета свидетельствует о необычайной близости между этими двумя детьми. И вы понимаете это, не будучи даже подготовленными к глубокому восприятию искусства. Или, не думая об этом глубоко, вы понимаете, что когда Гейнсборо сплетает эти руки, приближает друг к другу тела и головы маленьких девочек — это вопрос не только композиционный, как их укомпоновать формально, а это именно задача показать их нерасторжимость, близость, близость семейную, родовую, духовную, близость внутреннего глубокого контакта.

Эти глубинные контакты учат, показывают, педагогически наставляют. У Гейнсборо — это поэтическая одухотворенность, духовная связь, у Шардена — деловая сторона взаимосвязи с миром. Ребенок обретает право, и ребенок показан как человек, обладающий большим духовным собственным объемом. Этот глубокий собственный объем — он не трагический, а лирический очень. Это дети мечтательные, это дети, живущие как бы в том мире сказок, в каком они, может быть, и воспитываются.

* * *

Система эмоциональной связи очень сложно разрабатывается в XVIII — начале XIX века, становятся очень модными портреты детей и родителей. Изображение женщин с детьми занимает в портрете конца XVIII — начала XIX века очень большое место. Мы бы сказали даже так: в портрете конца XVIII — начала XIX века композиция, где изображена женщина с детьми или женщина с ребенком, становится активизированной, ведущей.

Появляется большое количество полотен, связанных с этой проблемой. Это и творчество Боровиковского, и творчество Левицкого; это в творчестве классицизма XIX века или романтизма — не важно. Кстати, мы здесь не делаем в этом смысле никакой разницы, потому что здесь не так важны направления в искусстве, как идея, которая воплощается через искусство или, напротив, отражается в искусстве.

В качестве примера давайте возьмем детские портреты известной французской художницы Мари Элизабет Луизы Виже-Лебрён. Речь пойдет об удивительной работе — «Автопортрет с дочерью». С автопортрета, созданного в 1789 году, смотрит счастливая мать, обнимающая порывисто прильнувшую к ней девочку. Художница запечатлела интимный момент духовной близости со своим ребенком: столько нежности, столько любви, столько доверия в этом объятии. Мы не чувствуем себя лишними в этой сцене, напротив, смотрящие на нас мама и дочка, обе очень красивые, трепетные, как будто делятся с нами частичкой своего тепла и счастья. А между тем жизнь Мари Элизабет больше похожа на авантюрный роман, нежели на спокойную и тихую семейную гавань. После смерти отца талантливую девочку Луизу Виже мать уговаривает выйти замуж за весьма посредственного, зарабатывающего на жизнь скорее торговлей предметами живописи, нежели искусством, но состоятельного художника Лебрёна. К несчастью, муж Луизы оказывается картежником и прожигает не только свое состояние, но и те накопления, которые были у Луизы. В своих мемуарах Виже-Лебрён напишет: «Я так мало была склонна жертвовать свободой, что даже по пути в церковь говорила себе: должна ли я сказать «да» или все-таки скажу нет? Увы, я сказала «да», обменяв нынешние неприятности на будущие», и далее: «...не то, чтобы месье Лебрён был жестоким человеком: его характер представлял смесь нежности и живости, он был очень услужлив во всем и, одним словом, весьма приятен... но неодолимая страсть к игре уничтожила его состояние, да и мое собственное, которое находилось в полном его распоряжении, тоже...» (Воспоминания г-жи Виже-Лебрён о пребывании ее в Санкт-Петербурге и Москве. 1795–1801 / Переводчик и составитель Д. Соловьев. М., 2004). К счастью, к этому времени Виже-Лебрён уже известна как художница и пишет портреты герцогов и королей, князей и императриц, поэтов и артистов. Выполняя один из таких заказов, Виже-Лебрён подружится с французской королевой Марией-Антуанеттой. В начале Французской революции в 1789 году художница, спасаясь от преследования, вместе с дочерью покинет Париж и отправится в Италию, а в 1795 году любимая портретистка Марии-Антуанетты окажется в Санкт-Петербурге. Везде, где бы ни появлялась очаровательная художница, она будет окружена друзьями и поклонниками. Луиза работает быстро, и слава бежит впереди нее. Правда, Екатерине II молодая красавица не придется по вкусу, и она иногда будет называть картины Луизы «дамской мазней», однако это не помешает Виже-Лебрён поддерживать прекрасные отношения с высшим светом Петербурга: семействами Строгановых, Голицыных, княгиней Марией Барятинской, княжной Екатериной Долгорукой, Юсуповыми, Апраксиными, Зубовыми, Уваровыми, Воронцовыми. Уезжая через 6 лет из Петербурга во Францию, Виже-Лебрён будет с твердой уверенностью говорить, что в России все население живет в полном благоденствии, здесь, как нигде, огромное количество образованных, умных, утонченных людей, и что она никогда не видела здесь пьяных. Обо всем этом она напишет в своих мемуарах. Виже-Лебрён проживет долгую жизнь и оставит после себя более 600 портретов.

Если мы с вами будем говорить о том, какой художницей была Виже-Лебрён, то первым делом отметим тот факт, что она была художницей школы Давида, то есть она была чистейшим классицистом, причем очень талантливым, но задача ее портрета носит романтический характер. В «Автопортрете с дочерью» возникает очень эмоциональная, очень глубокая проблема в изображении самих детей и в изображении связи детей с родителями. Чем эта работа отличается от предыдущего времени? Не формальным понятием семьи, рода, геральдики, а понятием семьи как духовных связей, понятием семьи как связи.

Великолепно совершенно написал в своей работе Лев Николаевич Гумилев: «Семья — это связи, если нет связей — это населенный пункт». Это определение необычайно точно. Мы бы сказали, что добавить к нему нечего.

Так вот, в XIX веке через детей, через детскую тему семья показывается как связи. До этого момента дети показывались со взрослыми, они показывались именно как семья, представительство, род, генетика, герб, мощь, сила, социальная структура, отождествленность, прежде всего, или в процессе обучения: родители — дети. И наконец, появляется новый момент в изображении ребенка и в изображении взаимоотношений детей и родителей — это момент настоящих связей, глубоких связей. Вот у Гейнсборо девочки так приближены физически друг к другу, так сплетены их руки, так касаются их лица. Что касается изображения Виже-Лебрён со своей дочерью, то посмотрите, как они переплетены между собой, какое объятие девочки, держащей мать за шею, спрятавшей почти голову на ее шее, как мать ласково ее обнимает. Через это переплетение, это сплетение показан образ духовного мира, духовных связей.

Глава 9

Век XIX. Социальный допинг для общества

Мы хотели бы показать проекцию этой же самой темы у русских художников XIX века. Например, у такого художника, как Василий Григорьевич Перов, через его картины «Проводы покойника» и «Тройка». В.Г. Перов и Виже-Лебрён — художники почти одного времени, разница 30–40 лет, за это время очень много произошло с точки зрения, может быть, чисто внешней, социальной, но с точки зрения развития проблемы ничего нового не происходит. XIX век весь посвящен именно тому, о чем мы сейчас говорили: изображение ребенка с точки зрения наполненности его самого собственным миром, экологическим, эмоциональным, его собственной жизнью, его объемом, который отличается от взрослого, и взаимосвязь ребенка и взрослого человека, но взаимосвязь эмоциональная.

Почему мы берем картину В.Г. Перова «Проводы покойника» как продолжение картин Виже-Лебрён? Французская портретистка дает элитарный портрет, мы понимаем, какая среда стоит за этим, какой за этим мир, не только мир образования или мир интеллекта, но какой стоит за этим мир предметов и вещей. Точно так же, когда мы смотрим картины Перова, мы тоже очень хорошо представляем себе, какой мир стоит за этим изображением. Специально даем вам этот контраст, это столкновение между тем, что изображено у Виже-Лебрён, и тем, что изображено у Перова. Вы вправе возразить: Виже-Лебрён — французская аристократка, а Перов — художник, который решил страдать сразу всеми страданиями России.

Мы сделаем небольшое лирическое отступление от темы и хотим сказать, что художник сознательно страдать за человечество не может. Если он за это страдает, как страдал Шекспир, то тогда это одно дело, это возможно, но если как русские передвижники, то тогда — нет, потому что художники-передвижники искренни настолько, что для них это кончилось весьма трагически, они искренне заблуждались, они искренне стояли на ложных позициях. Это была искренняя ложность, потому что художникам этого творческого объединения пришла в голову мысль, которая потом необычайно укрепилась и укоренилась: что кто-то за кого-то может страдать, от чего кому-то будет хорошо. Они взяли на себя ответственность за все человечество сразу. Это их точка зрения, их миссия, а мы почему-то должны встать по этому поводу перед ними на колени и провозгласить их самыми великими живописцами, потому что они, как поет Высоцкий, «все скорбью скорбят мировою». Но это было примерно в том же соотнесении, как и в этой песне. Это опасная была ситуация, но она была искренняя, так ведь и наказание за ложь было очень страшное. Это было наказание отказом от таланта. Перов был художник фантастически талантливый. Посмотрите на его портрет Достоевского, поражает та глубина, мысль, эмоция таланта, который в нем жил, но передвижники специально отказались от цвета, они специально отказались от целого ряда проблем в жизни, им необходимо было человечество оборудовать, оснастить, заострить социально. Им на живопись было наплевать, нужно было, чтобы все стояли и плакали, отжать, коленкой наступить.

И в этом была, с одной стороны, некая принципиальность, жертвенность, а с другой стороны — это весьма опасная позиция, которая и искусство-то завела в тупик. Мы до сих пор и думаем, что в искусстве главное — что́ изображено, а уж как «наваял», забыли и думать, что это такое.

С передвижников начинается процесс сложного, психологического момента в искусстве и пути определения функции художника. Раньше художник писал и не знал, не задумывался, какую функцию он выполняет интересную, в каком смысле он отвечает за мир. Веласкес писал и писал по заказу Филиппа IV и даже не знал, что он что-то для мира делает. А оказалось, что делает. А передвижники, напротив, считали, что выполняют свою функцию, за мир несут ответственность, что-то делают для мира, а оказалось, что нет. Решить этот вопрос трудно. Но мы специально сделали это лирическое отступление по поводу того, что передвижничество есть явление очень интересное в русском и в мировом искусстве. Это становление новой определенной художественной системы, которую надо рассматривать не прямолинейно: люблю — не люблю, классика — не классика, а в той действительно сложной проекции, в которой она выступает, в которой она осуществляется и в которой она приносит благие и бедовые плоды. Но именно поэтому мы сделали отступление, чтобы сказать, что детская тема здесь решается так же, как и у Виже-Лебрён, а не с той точки, с которой подходит Перов. Она решается как объединение детей со взрослыми через эмоционально-социальное состояние.

Мы понимаем, что русские интеллигенты, причем не просто русские интеллигенты, а русские интеллигенты, принадлежащие к той же самой среде, что и приятели и приятельницы Виже-Лебрён, стоя перед этой картиной полагали, что у них сейчас вот-вот пробудится совесть. А кто, собственно, видел эти картины? Представьте себе, какое количество людей видело эти картины: Перов писал, Третьяков покупал, а сколько человек смотрело? Вы можете себе представить это количество в контексте культуры? Зрителей было столько же, сколько и у Виже-Лебрён. Более того, мы должны уточнить: картины русских художников видело гораздо меньшее количество, потому что, когда выставлялись Давид и его школа, во Франции уже были приняты художественные салоны с посещением, а в России такого не было. Эрмитаж был не государственным собранием, а Императорским, Третьяков открыл свою галерею в 80-х годах. Сейчас принято посещать музеи и картинные галереи, картины видит огромное количество людей, а во времена Перова, то есть когда это писалось, лицезрение картин не было достоянием всех, это было достоянием тех же самых людей, как и Перов. Мы все-таки в контексте культуры должны этот факт воспринимать.

Несмотря на все вышесказанное, мы продолжаем настаивать на том, что не изобразительно, а с точки зрения развития тенденций изображение ребенка у Перова соответствует тому, как изображали детей художники XIX века. Это две тенденции: первая — изображение детей как полных аборигенов, духовно самостоятельных, как определение мира ребенка, уже принадлежащего ему. А вторая тенденция — система рассмотрения эмоциональных отношений семьи. Вот то же самое и у Перова. Это рассмотрение семьи через общую судьбу, через общие эмоциональные связи, через общность. Поэтому Перов изображает, как едет мать и рядом с ней двое детей у гроба. Это трагедия, а трагедия ведет к очень раннему становлению духовного. Однако обратите внимание, что мальчик, который сидит в санях, маленький, с надвинутой шапкой (очень внимательно рассмотрите его лицо), участвует в этом действе и в то же время не участвует в нем. В ребенке есть, с одной стороны, участие в этом: это участие страха чисто физического, холода, гроба, но, с другой стороны, до сознания это еще не доходит. Самая страшная в этом смысле — картина Перова «Тройка». Дети, мы с вами говорили об этом, предмет особо сильный в качестве социального допинга для общества. Потому что одно дело, если вот так эту кадку везут три взрослых человека (а как ее возить-то было? Так и возили), и совсем другое — когда в нее запряжены дети. Это, конечно, очень сильный социальный допинг. Поэтому три ребенка, впряженные в кадку с водой, впряжены в нее не случайно — специально, сознательно. Детский труд в XIX веке был обычным явлением во многих развитых странах. Дети трудились наравне со взрослыми по 12–14 часов в сутки, причем платили им гораздо меньше, чем взрослым. Эксплуатация детского труда, детское рабство, отсутствие у ребенка каких бы то ни было прав для России имеет большее социальное значение, нежели для Европы. Вот эти дети, которые по морозу везут воду, — это именно система эмоциональных форм описания детей и участия их определенным образом в общественной жизни.

К «Тройке» В. Г. Перова мы можем подобрать парный портрет — очень интересную и неожиданную картину — это Делакруа «Свобода на баррикадах», — написанную в 1830 году. Парный, потому что и у Перова, и у Делакруа ребенок полностью участвует в происходящих событиях, как бы подменяя собой взрослого. Но у Делакруа — это Гаврош, ребенок, который становится национальным героем Франции. И если говорить о том, насколько детей используют как элемент уже социальной иерархии и социальной адаптации, или психологической и социальной адаптации, то тут мы должны сказать справедливости ради, что это не Россия делает, а Франция. Франция делает это через литературу чрезвычайно активно, особенно через такого художника, как Гофман, и через такого художника, как Гюго. Франция создает национальный образ подростка до того объема психической эмоциональной зрелости, которая делает его членом этого общества, хотя и в качестве ребенка.

* * *

Вспомним, как изображали детей в XVI–XVII веках? Детей изображали как взрослых, то есть игнорируя их возрастные особенности. Когда XIX век приобщает ребенка к миру взрослого человека, он приобщает его через возраст. И делает это различными путями, при этом основная линия — это линия психологического становления личности. А ракурсы различные: или это как у Шардена, или как у Гейнсборо, или как у Делакруа.

XIX век идет по этому пути тогда, когда он определяет тему через детей. XIX век идет по пути одного и того же — это внутренний мир ребенка как полноценной личности, только имеющей определенную возрастную ступень.

Для второй половины XIX века очень характерна одна новая краска, один новый оттенок, появляющийся в этой проблеме. Этот новый оттенок или новая краска сводятся к тому, что подчас эмоциональный или психический, или внутренний мир ребенка значительней, нежели мир взрослого человека.

Это эпизод в искусстве единственный, уникальный, почти неповторимый, но наработки детской темы XIX века идут именно по пути освоения внутреннего мира ребенка, самостоятельного, эмоционально наполненного, очень чувствительного, очень открытого. XIX век в какой-то момент встает на такой путь, когда этот эмоциональный мир ребенка становится более полноценным, более существенным и более открытым. Взрослый человек живет в мире социально определенном, а потому — ложном и закрытом. А вот полная открытость — она свойственна детям. И здесь прежде всего мы хотели бы показать для начала вещь более легкую — это знаменитый Мика Морозов.

Необходимо несколько слов сказать относительно вообще этой работы, потому что изображение сына промышленника и мецената М.А. Морозова, Мики Морозова, Михаила Морозова, Серовым как раз одна из тех работ, которая подтверждает нашу мысль. Это не просто эмоциональное или духовно полное состояние, это переполненный мир. Причем ребенок в этом мире существует самостоятельно. И для нас настолько загадочна детская самостоятельность.

Здесь мы хотим сделать небольшое отступление: очень жаль, что эта тема не развилась в искусстве. Художники — народ серьезный. Со второй половины XIX века они начинают заниматься только спасением мира. Дети для них вообще не интересны, они не нужны им больше. Художники уже настолько мир спасают, что дети совсем выпадают из их поля зрения. И самая высокая тема, до которой поднялось изображение ребенка — самая малочисленная и очень быстро обрывающаяся. Но, как нам кажется, она самая глубокая, самая плодотворная. Не то чтобы к ней всё шло, нет, она проявляется в свое время, но она очень мала, малочисленна и кратковременна, очень быстро останавливается.

«Когда я была уже совершенно взрослым человеком и стала куда-то ходить, что-то слушать, чтобы получать какое-то образование, я однажды была на юбилее, посвященном Шекспиру. Слушала доклад о Шекспире. Этот шекспировский юбилей проходил в Доме ученых. Я сижу, слушаю этого человека, а в голове только одно: «Где я его видела? Кто он такой?» Я сижу и мучаюсь, потому я до сих пор не помню, что он, наверное, о Шекспире что-то совершенно замечательное

говорил, но я этого не помню, потому что я была во власти этого воспоминания. Наконец в моей голове как разряд молнии сверкнул, я вспоминаю этого человека. Для того чтобы уточнить тот кошмар, что возник у меня в голове, я, естественно, переспросила, кто читает эту лекцию. А лекцию читал Мика Морозов, только старик. Он был шекспироведом. И это такой же действительный эпизод, как то, что я вам когда-то рассказывала о юном Ван Дейке. Он не изменился, он просто стал очень взрослым человеком. У него появилось брюшко, но щечки у него остались такими же, и носик такой же, и ротик такой же. И все отношение к жизни у него не изменилось вообще».

Серов, правда, и художник особый, он обладал одним качеством. Мы хотим напомнить, что, с нашей точки зрения, портретов психологических не бывает. Это нечто другое. Мы так просто называем. Но у Серова была одна черта: беспощадность художественного насыщения. Это была такая художественная оптика, такое художественное зрение, посредством которых Серов видел в человеке неизменяемые черты. Причем он видел в человеке черты не только неизменяемые, но и проявленные. Ведь Валентин Александрович этого Мику Морозова всю жизнь знал, он мог написать его портрет 20 000 раз, но он тогда написал только одного. Вот этого непоседливого, порывистого, включенного всеми клеймами в жизнь человека, бесконечно непрерывного, заряженного особым каким-то азартом постижения, при этом с какой-то внутренней духовной сосредоточенностью. В этом портрете есть всё: экстравертность, личность, динамика, движение, включенность в среду, секундная способность к изменениям, эта многословная, многоплановая, включенность в жизнь и, вместе с тем, какая-то система глубокого умососредоточения. Все, что есть в этом ребенке, — это все личность, которая осталась, как автору потом просто посчастливилось в этом удостовериться, на всю жизнь.

Здесь автору хотелось бы сделать предположение, точнее, спроецировать одну мысль: личность человека складывается раньше, чем мы думаем. Педагогическая система отвечает за освоение человеком социального мира, а личность как таковая в основных своих чертах складывается намного раньше. Но искусство этот вопрос почти не фиксирует, а Серов, которому это видение было свойственно как дар, как талант, это фиксирует. И это проявляется во всех детских портретах художника. Например, на одной из самых узнаваемых работ Серова — «Девочке с персиками», полюбоваться которой можно в Третьяковской галерее.

Это портрет знаменитой Веры Мамонтовой. Нельзя сказать, что это портрет совсем детский, но мы не можем не включить его в наш рассказ, потому что он и не взрослый. А сколько было лет Вере Мамонтовой? Не ребенок уже была, подросток, и Серов знал ее подобно тому, как знал Мику Морозова. Художник с Верой не просто всю жизнь был знаком, а был ей родственником. Это одна семья. Они были все друг на друге женаты, уже и разобрать невозможно было, кто кому кем приходится, семья одна. В Москве все когда-то были друг другу родственниками.

Писал Серов эту девочку всего один раз в жизни, а мог бы писать так же, как и Мику Морозова, сколько угодно раз. Но писал тогда, когда Вера была проявлена, наиболее полна, когда она была как личность выявлена наиболее полным, наиболее открытым, наиболее законченным образом, когда она несла в себе стиль, а человек — это стиль. В Мике Морозове этот стиль спроецировался в возрасте 5 лет. А в Вере Мамонтовой стиль спроецировался в возрасте 14 или 15 лет, а потом только шло чисто косметическое изменение этого стиля.

А вот тот мир, в котором эта проекция осуществляется, психологический портрет человека, человека индивидуального, человека определенного общества, он спроецировался здесь, здесь максимальная точка. Так очень часто бывает в детях, мы только это проглядываем. Никто, ни художники, ни кинематографисты, ни родители, ни специалисты, серьезно к детям не относится, а относятся к ним индифферентно, профессионально, экспериментально, мы бы сказали.

Внимания к детям нет, а есть экспериментальное и безразличное, именно поэтому к ним чаще всего применяются системы. Потому что система сама по себе есть одновременно результат эксперимента и безразличия. В системе ребенок проще: дети — и всё.

Мы хотим обратить ваше внимание на работу, которую с этой точки зрения считаем высшей в этой линии. Но прежде чем говорить об этой работе, мы посмотрим еще одну картину в этом ключе, это врубелевская девочка — изображение девочки на фоне турецкого ковра. Это изображение незнакомой ему девочки, которая принадлежала к тому же самому кругу, что и Вера Мамонтова, и Мика Морозов, но только мир Врубеля был иным, нежели мир Серова. Серов видел человека как характер, как стиль, а Врубель видел какую-то космически-трагическую линию в каждом человеке, он видел в нем ту глубину, душевное или духовное страдание, с которым человек рождается, как страх или как трагедия. И поэтому для Врубеля не существовало в этом смысле возраста: так он писал своего сына, так он писал и эту девочку. Поэтому мир этой девочки так же полон, он так же окончен, он так же завершен, как и мир детей Серова, но только он спроецирован на идею внутренней трагической обреченности. Мы бы не хотели дальше эту тему развивать, здесь просто важно показать эту же идею, только взятую в другом эмоциональном ключе.

Самой высшей точкой в развитии этой темы мы считаем работу Нестерова «Видение отроку Варфоломею». На наш взгляд, более высокого изображения ребенка в искусстве не существует. Это так наслаивается на то, о чем мы говорили: что мы безразлично относимся к детям или относимся к ним через систему; мы, может быть, очень часто не понимаем, что в детстве происходят те главные процессы, которые в силу того, что мы индифферентно их подавляем (а ребенок хрупок), они ломаются. А это — житие. Сергий Радонежский был ребенком или нет? По всем житиям Сергия Радонежского существует историческое свидетельство, что Сергий Радонежский был лицом историческим. Ибо он не только сам фиксировал момент явления ему таинственного старца, но и есть историческое свидетельство по этому поводу четкое: «Однажды в поле, куда Варфоломей пошёл по приказанию отца отыскивать коней, он увидел под дубом старца-черноризца, саном пресвитера. Старец молился, отрок подошёл к нему и поведал скорбь своей души. Сочувственно выслушав мальчика, старец начал молиться о просвещении дитяти свыше, затем, достав ковчег, вынул малую частицу просфоры и, благословив ею Варфоломея, сказал: "Возьми, чадо, съешь: сия даётся тебе в знамение благодати Божией и разумение Святого Писания"» («Житие Преподобного Сергия» авторства Епифания Премудрого).

Отрок Сергий в детстве был пастухом, и откровение ему о его миссии было дано в возрасте весьма раннем. В детский сад он не ходил, и поэтому некому было дать возможность ему об этом забыть. Нестеров очень интересно пишет мальчика: он пишет его очень хрупким физически, нежным, как травинка, как былинка. Это такая прозрачная, слабая, очень хилая плоть. И в этой прозрачности, слабости, в этой хилости отрока есть одновременно мышление о многих вещах. Прежде всего вот эта хрупкость, детскость, еще физическая несформированность, физическая несложенность, ибо Сергий Радонежский был мужчиной преогромного роста и весьма дюжим, а когда отроком был, он был слаб и хил. Это еще несотворенность, он — как былинка, он еще только произрастает. Но эта хрупкость, эта нежность, это произрастание отнюдь не свидетельствуют о слабости, несовершенстве или неполноценности. Толстый ребенок — это не значит, что ребенок здоровый и умный. Это как приходится. Даже стремление к вскармливанию по весам для нас эквивалентно понятию здоровья, понятие здоровья эквивалентно понятию ума или развития. А Нестеров тут показывает очень тонкую деталь, которая дает возможность поразмышлять на тему. Здесь есть открытость необычайная, эта открытость связана со становлением. Отрок еще становится, он еще в росте, он в движении, он открыт всему, он не перекрыт со всех сторон еще. Кроме того, в этой хрупкости Варфоломея есть тема важная очень, тема Нестерова; как Серов со своей темой идет, так и Врубель, Нестеров — со своей темой. Это тема человека как личности, потому что у Перова действует человек как социальный тип, точно так же как и у Виже-Лебрён. У Нестерова человек действует как личность. И осуществление этой личности, по Нестерову, — это духовное подвижничество, или духовное осуществление. У художника есть высшее понятие о человеческой личности — это понятие о духовном осуществлении. Когда это духовное осуществление проявляется? Нестеров показал это в одной из самых ранних своих работ, в своей самой великой работе «Видение отроку Варфоломею», где у него все узлы связаны с изображением детского возраста, ребенка. Мы эту вещь считаем вообще высшей точкой в изображении детского возраста и искусства, потому что здесь дитя перекрывает взрослого человека, здесь показана система, где ребенок перетягивает на себя функцию. Откуда мы знаем, может, оно так и происходит. Мы же этого не знаем. Кто этим занимался? Кто исследовал? Почему бы не провести исследование, пользуясь таким прекрасным произведением Нестерова или исследуя тенденции в изображении детей во второй половине XIX века, а как вы видите, они довольно последовательны и едины настолько, что это заставляет задуматься.

Глава 10

Век XX. «Спасители мира»

Василий Перов. Проводы покойника. 1865 г.

Василий Перов. Тройка. 1866 г.

Эжен Делакруа. Свобода, ведущая народ. 1830 г.

Валентин Серов.
Девочка с персиками.
Портрет В.С. Мамон-
товой. 1887 г.

Валентин Серов.
Мика Морозов. 1901 г.

Михаил Врубель. Девочка на фоне персидского ковра. 1886 г.

Михаил Нестеров. Видение отроку Варфоломею. 1889–1890 гг.

Пабло Пикассо. Мать и дитя. 1921 г.

Пабло Пикассо. Мать и дитя. 1921 г.

Пабло Пикассо. Женщина с ребёнком на берегу моря. 1921 г.

Пабло Пикассо. Девочка на шаре.
1905 г.

Пабло Пикассо. Семья комедиантов.
1905 г.

Пабло Пикассо. Герника (фрагмент). 1937 г.

Пабло Пикассо. Минотавромахия. 1935 г.

И, наконец, последний художник, к которому мы хотели бы обратиться в рамках нашей проблемы, — это художник XX века, у которого детская тема выглядит как maxima. Все, о чем мы с вами говорили, у этого художника есть, все проблемы детские спроецированы. То есть мы с вами, посмотрев его работы, можем увидеть и всё то, о чем говорило искусство всего мира на протяжении всего своего развития по поводу изображения детей, — это как шапка, как повторение и как универсальная проекция проблемы — этим художником является Пабло Пикассо.

Почему именно в творчестве Пикассо дети занимают такое место? Почему творчество Пабло Пикассо является онтологическим по отношению к проблеме? Почему творчество Пабло Пикассо не только является онтологическим по отношению к проблеме, но и освещает все ракурсы этой проблемы? Только потому, что творчество Пабло Пикассо делится не на периоды: голубой, розовый, урбанистический, сюрреалистический, военный, послевоенный — мы не будем здесь перечислять всё, что про него пишут, а только потому, что творчество Пабло Пикассо посвящено двум проблемам.

Это проблемы старые как мир. Это проблемы испанские, ибо он испанец, и это проблемы жизни и смерти. И никаких других проблем в его творчестве нет, от начала и до конца. Почему таким образом получилось, что существует путаница в отношении этой личности? Автор это очень хорошо понимает: а что бы было тогда искусствоведам делать, сколько книг написать надо! Кто-то исследует проблему «Пикассо и кубизм», кто-то — «Пикассо и сюрреализм». Художнику однажды жутко надоело, что к нему все лезли, считая его сюрреалистом и кем-то еще, и он сказал: «А, да, я считаю себя сюрреалистом, потому что я люблю жениться на русских женщинах, а это страсть сюрреалистов». Пикассо любил дурачиться.

Если мы будем действительно смотреть то, что Пикассо пишет, то увидим, что это самая старая и основная проблема. Это отношение жизни и смерти, бытия и сознания, это самые старые и самые глубокие проблемы, они проецируются в его творчестве, их можно перевести на язык XX века, это проблемы войны и мира. Проблема войны — это есть проблема распада, а раз скоро так, то, естественно, кто же, как не дети, являются вопросом жизни, являются вопросом бытия или вопросом рождения. Вот почему у Пикассо детская тема прослежена в таком огромном количестве вариантов.

Мы пойдем не по хронологии, потому что хронология в данном случае совершенно бессмысленна, мы просто хотим пойти от высшего к низшему.

1921 год. Пикассо — счастливый отец. Его жена, Ольга Хохлова, очаровательная русская женщина, бывшая балерина труппы Сергея Дягилева, родит ему сына. Не удивительно, что именно в этот период Пикассо создает целую серию работ на тему материнства.

Вот такой рисунок — «Мать и дитя», 1921 года. Почему мы с него начинаем? Потому что это тема матери и ребенка. Перед нами идеальный, классический вариант: женщина с ребенком на руках, держащая ребенка у груди. То есть это проблема Богоматери, Богородицы, это проблема вечная, она так и прослежена, Пикассо ее пишет в классическом варианте, в варианте классического рисунка и решает ее как проблему вечную, решает ее как проблему природы.

Мать здесь есть не духовно активное начало, а есть начало физическое, есть начало природное. Гея — это богиня Земли, это Крестьянка, это Женщина, — это все с большой буквы, это мифология мира, это миротворчество. Поэтому она дана не только большой, но и сонной, духовно безучастной и к этому процессу рождения, и к процессу воспитания, вскармливания, что очень важно. Ее дело — быть Латоной (Латона — богиня ночи и всего сокровенного, считается символом материнства, материнской любви и почитания детьми). В этом заключается ее функция — давать своих сыновей, она мать Земли, Гея.

В этом качестве Латоны, Геи женщина изображена большой — мощное тело, мясистые формы, и у ребенка ноги — как у Геракла, так сказать, это Латона, вскармливающая Геракла, это Алкимена. В этом откинутом лице, полуоткрытых губах — сонность, духовная спячка, здесь ничего больше нет, кроме акции всего этого.

А вот серия работ 1921 года, которую мы хотим показать: она тоже идет в классическом направлении женщины с ребенком на руках, опять это тема Мадонны, Богородицы, Богоматери, но здесь тема женщины с ребенком на руках имеет самый противоположный ракурс, прямо противоположный знак. И это знак сложный, знак интересный. Прямо прочитываем — наглядный. Это та тема, о которой мы с вами говорим: самая глубокая связь, связь внутренняя, духовная. Создана эмоциональная атмосфера нежности, взаимной связи через природу физическую и через природу духовную, то есть тема семьи, общности. Посмотрите, какая удивительная нежность рук, какая бережность, когда женщина руками этими держит ребенка. Как ребенок держит мать за щеку, как она смотрит, как она вся в нем растворена, она вся поглощена им. Весь духовный мир матери растворен в мире ребенка.

В первом рисунке ясно читается аспект здоровья, первозданности, первичности: у матери сейчас ребенка отними, она и не колыхнется, просто так же во сне родит второго и т. д., так бы глаз и не раскрывала, у нее функция такая. Во втором случае — другой аспект этой темы, наоборот, здесь первична связь духовная, связь внутренняя. Мать скорее даст «изрезать себя на куски», нежели позволит забрать своего ребенка. Здесь появляется еще один очень интересный момент: кто от кого зависит больше, мать от ребенка или ребенок от матери?

У Пикассо очень часто разделение этой проблемы в сторону ребенка: ребенок сильней матери, потому что мать держится за ребенка, а не ребенок за мать. Образно говоря, ребенок держится за материнскую юбку, не будет юбки — будет ножка стола, а в этом возрасте — вообще обслуга. А вот мать за ребенка держится очень, потому что он для нее — формирующее начало, он для нее — якорь спасения, избавление от одиночества. У Пабло Пикассо эта тема очень сильная.

У Пикассо есть в этой же композиции другая работа, где женщина, точно так же с поднятым плечом, заведенной головой, на ладони держит маленькую птичку. То есть одиночество так сильно, так невыносимо, что вот пусть хоть что-то будет в руках, хоть какой-то теплый комок. Пусть хоть так будет прощупываться биение сердца. Это уже есть какая-то ниточка, связывающая ее с живой жизнью. Пикассо — очень трагический мастер, у него всё существует в трагическом конфликте. Мы не хотим сказать, что эта тема здесь главная, но она здесь есть так же, как здесь есть момент основных связей, связей духовных.

Третья тема, которую мы хотим показать у Пикассо, самая многочисленная. Она связана у художника, как правило, с темой блуждающих музыкантов, с темой странствующих людей. И здесь дети играют очень большую, совершенно особую роль. Самое большое количество детей, которое изображено, — в темах странствующих музыкантов, в теме странствующих комедиантов.

Сама по себе эта тема, тема странствия, настолько серьезна, настолько глубока, что раскрывать сейчас ее мы не можем, она уведет нас от нашего основного вопроса. Тема странствий, так же как и все темы Пабло Пикассо, вечная, потому что тема дороги в искусстве существует столько же, сколько существует само искусство. Это — тема поиска, тема поиска истины, пути, постижения. В XX веке она входит в искусство через Чарли Чаплина. Входит как тема одиночества и брошенности на дороге, как тема поиска счастья и, самое главное, как тема великой бездонности — бездонности человеческой души. То есть одна из самых серьезных тем для XX века — тема перемещений.

У Пикассо эту тему можно рассматривать через ключ, данный Чарльзом Спенсером Чаплином, в дальнейшем она будет подхвачена итальянским кинорежиссером Федерико Феллини в его фильме «Дорога», снятом в 1954 году.

«Дорога» Феллини — фильм о трагическом одиночестве человека, о взаимонепонимании, о попытке самопознания и абсурде бытия. Связи между людьми разорваны, а сами люди деформированы разобщенностью. «Наша беда, несчастье современных людей — одиночество. Его корни очень глубоки, восходят к самым истокам бытия, и никакое опьянение общественными интересами, никакая политическая симфония не способны их с легкостью вырвать. Однако, по моему мнению, существует способ преодолеть это одиночество; он заключается в том, чтобы передать «послание» от одного изолированного в своем одиночестве человека к другому и таким образом осознать, раскрыть глубокую связь между человеческим индивидуумом и другим» (Гарин И.И. Век Джойса, Федерико Феллини, с. 476).

Эту же мысль Федерико Феллини можно услышать у Анны Ахматовой:

Черная вилась дорога,
Дождик моросил,
Проводить меня немного
Кто-то попросил.
Согласилась, да забыла
На него взглянуть,
А потом так странно было
Вспомнить этот путь.
Плыл туман, как фимиамы
Тысячи кадил.
Спутник песенкой упрямо
Сердце бередил.
Помню древние ворота
И конец пути —
Там со мною шедший кто-то
Мне сказал: «Прости...»
Медный крестик дал мне в руки,
Словно брат родной...
И я всюду слышу звуки
Песенки степной.
Ах, я дома как не дома —
Плачу и грущу.
Отзовись, мой незнакомый,
Я тебя ищу!

А.А. Ахматова. Черная вилась дорога... 1913

Герои «Дороги», бродячие актеры, странствующие комедианты, у которых и дома-то нет, жизнь — сплошная дорога, удивительно схожи в своем отношении к своей жизни, к своему существованию.

Матто: «Мне никто не нужен. Сегодня я здесь, а завтра — там. Чем меньше на одном месте, тем лучше. Потому что люди мне быстро надоедают. Я поеду один. Таков уж я, ничего не поделаешь. Ни дома, ни крыши», Дзампано после смерти Джельсомины: «Я вас раздавлю. Я вас... Я вас раздавлю! Мне никто не нужен! Я хочу быть один. Я хочу быть один. Один». Джельсомина: «Что изменится, если я поеду с ними? Я никому не нужна. Мне надоело жить». Интересен в этом смысле разговор Джельсомины и Матто, в уста которого Феллини вкладывает совершенно противоположные мысли:

«...Но всё, что есть в этом мире, зачем-то нужно. Даже вот, например, этот камешек.

— Который?

— Вот этот. Даже этот камень зачем-то нужен, даже у него есть предназначение.

— И зачем он нужен?

— Чтобы... Откуда я знаю? Если бы я знал, знаешь, кем бы я был?

— Кем?

— Господом Богом, который всё знает. Когда кому родиться, когда умереть. А мне откуда знать? Нет, я не знаю, зачем нужен этот камень. Но зачем-то он нужен. Потому что если он бесполезен, то и все остальное бесполезно. Да. И даже звезды. И ты. И ты зачем-то нужна».

К сожалению, Джельсомина не смогла разбудить сердце Дзампано:

«— Вы бы сожалели, если бы я умерла?

— А что? Собираешься?

— Один раз я правда хотела умереть. "Уж лучше, чем быть с этим", — так я думала. А теперь я бы даже вышла за вас замуж. Мы же всегда должны быть вместе. Даже камень зачем-то нужен».

Дзампано ощутит боль утраты только тогда, когда узнает, что Джельсомины больше нет. Героиня Феллини была брошена на эту дорогу одиночества, обречена. Но режиссер показывает нам истинную суть вещей, истинное отношение Дзампано к Джельсомине через реплику, которую произносит Матто, уговаривая Джельсомину бросить Дзампано и уехать с ним: «А знаешь... Дзампано не держал бы тебя, если бы ты не была ему нужна».

И мы понимаем у Феллини одну любопытную вещь: этот Дзампано, который цепи разрывает — сильный, а Джельсомина-то сильнее, это он от нее зависит, а не она от него.

И вот эти проблемы в комедиантах Пикассо спроецированы.

Они входят в XX век в целом комплексе, это тема одиночества человеческой личности, поиска своих путей, поиска Родины. Великое переселение народов начинается перед Первой мировой войной и после Первой мировой, и перед Второй мировой войной, а когда начинается эмиграция из гитлеровской Германии — вновь целая большая волна перемещения. Это очень сложный процесс, который охватывает весь XX век. Здесь очень большое значение в проблеме Пикассо имеют дети.

Во-первых, здесь та тема, о которой мы говорили, — дети, которые сильнее взрослых, она очень отчетливо выступает. У Пикассо есть отдельный цикл картин, посвященных циркачам, бродячим артистам. Необходимо отметить тот факт, что представители этой среды в начале XX века считались социальными аутсайдерами, свободными, творческими, но, как правило, очень бедными или даже нищими. Давайте возьмем «Семью комедиантов», написанную в 1905 году. На картине большой толстый клоун — один из самых главных персонажей, точно так же как главными персонажами являются маленькая девочка или маленький мальчик. Клоун и дети выступают как бы в паре. И мы понимаем, что в этой паре не взрослый — старый клоун, а маленькие дети оказываются сильнее, потому что не только номер зависит от них, но этот старый клоун жизнь бы свою потерял, если бы не ответственность за детей.

У Пикассо ответственность за ребенка в этой теме очень сильна. Он показывает огромную ответственность, которую взрослые люди несут за детей, так как в детях заключено очень многое. Это не только сила, но и будущее. У Пикассо это тема мира и войны, где тема мира и тема будущего, тема выживания начинают проецироваться через детей. То есть появляется еще один некий аспект. Мы бы могли по этому клоуну и детям увидеть то, как Пикассо представляет нам эту тему, какая аннигиляция: ребенок принадлежит мужчине, а не женщине. Мы рассматривали сюжет «мать и дитя», но дело в том, что художник рассматривает детей через все варианты связей. Он прокручивает все семейные вариации. В данном случае это мужчина, который отвечает за ребенка и держит его на своем плече, а не женщина, то есть Пикассо дает онтологическое отношение к этой проблеме. И здесь — отношение природы, отношение духовных связей и отношение к самой проблеме как проблеме жизни и смерти, выживания, та линия, через которую идет будущее, та линия, через которую жизнь проецируется.

И вместе с тем в этих клоунах и клоунессах есть, конечно, то, о чем мы с вами неоднократно говорили: дети разделяют социальную участь взрослых людей, происходит их объединение в единой социальной системе. Потому у Пикассо среди этих клоунов, комедиантов, как правило, дети присутствуют обязательно, и они несут на себе те же самые социальные нагрузки, что и взрослые. Дети разделяют всякую участь, то есть все проекции Античности, эпохи Возрождения, XVII, XVIII, XIX веков.

Вот хорошо известная вам картина «Девочка на шаре» — здесь отражен целый комплекс рассматриваемых нами проблем: и проблема неразрывности отношений, проблема общности и связи, проблема того, что дети разделяют участь взрослых, и проблема того, что дети несут самостоятельную нагрузку духовной жизни. Вот почему мы считаем, что в творчестве Пикассо проходит перед нами как чисто онтологическая история, так и вся история детей в искусстве.

На примере Серова, на примере XIX века мы с вами говорили о том, что ребенок имеет свой собственный самостоятельный внутренний мир. У Пабло Пикассо целая серия детских портретов, эта серия огромная, и она связана не только с изображением своего собственного сына Поля, но и с изображением детей в целом. И здесь тема изображения детей поднята так же высоко, как во второй половине XIX века, когда ребенок есть законченная человеческая личность. Это то, что есть у Шардена, — дети всегда при деле, они чем-то заняты, увлечены; это то, что есть у Гейнсборо, — единство духовное, единение в духе; это то, что есть у Серова, — в свершении, и это свершение идет через все формы, очень часто через формы творчества детского.

У Шардена мальчик растет и пузыри пускает, у Пикассо — это дети, приобщенные очень рано к становлению личности через духовно-творческое становление, через духовно-творческий процесс. Очень часто детей показывают в процессе творчества. Или еще очень интересно — дети в карнавальных костюмах. Но чаще всего это рисующие, читающие дети.

Наконец, последняя тема, которую мы хотели бы вам показать, — это дети как спасение мира. Эта тема аналогична теме нестеровской, но взята, как всё, что делается у Пикассо, абсолютно конкретно. То есть объясняющая, почему именно дети занимают такое место в творчестве Пикассо. Здесь у него появляются просто спасители мира: только дети могут укротить великое чудовище.

В картине «Минотавромахия» слева изображена девочка со светильником, а справа — Минотавр. Картина еще более завершена по своим мыслям и по своей гернике. Потому что «Герника» — это вещь безысходная. В «Гернике» есть понятие войны, отождествленной с понятием «смерть». Понятие смерти отождествлено с понятием универсальной смерти, всего: не только человеческой, но и смерти культуры, и распада материи. Здесь же и самый страшный вид смерти — возвращение мира из Хроноса времени, памяти, истории, в Хаос.

Герника — это возвращение мира к Хаосу.

Лев Гумилёв пишет о том, что такое смерть на атомном уровне: это закон жизни. Смерть страшна не на атомном уровне, не на атомистическом уровне, она страшна на субатомном уровне.

Вот этот субатомный уровень смерти есть возвращение, есть распад, возвращение мира в Хаос из Логоса, его превращение из Хроноса в Хаос. Это время погружения в бездну, тьму, где поглощается свет. Как пишет Лев Гумилёв, «персонифицировано издревле»: это было названо понятием Люцифера — бездна, поглощающая свет. И оттуда возврата нет. А Хронос — это свет, это время, а время — это порядок, а порядок — это история, это память. Поэтому «Герника» у Пикассо посвящена в чистом виде этой проблеме, проблеме, которая показывает, что мир может при известных играх больших детей, брейгелевских, превратиться из Хроноса в Хаос. И Пабло Пикассо дальше продолжает эту самую тему: силы Хроноса у него олицетворены через различные силы Хаоса. Эта сила Хаоса совершенно онтологична. Она показана через европейский, классический, мифологический образ Минотавра, пожирающего людей. Дело в том, что Минотавр — это физиологическая стихия, владеющая людьми, лишающая их разума. Минотавр — это не просто стихийная сила, это сила пожирания, сила превращения Логоса в Хаос. Минотавр — это понятия Люцифера, бездны, распада и поглощения на субатомном уровне. И только одно существо способно его остановить — это ребенок со свечой в руке, который является носителем света.

Очень интересно, как художник пишет эту девочку. Он пишет ее как Красную Шапочку. Пикассо и ей тоже придает черты мифологического образа — Красная Шапочка и Серый Волк. Только здесь вместо Серого Волка — Минотавр. У девочки беретик с помпончиком, беленькие волосики такие, она в одной руке держит букет цветов, а в другой — свечку. И только детская фигура ребенка противопоставляется системе Хаоса и распада, потому что она и есть Логос.

В распаде на атомном уровне бывает возвращение в новое: это новоциклично. Но на субатомном уровне ничего не бывает. Контраст этот связан только с одной фигурой — фигурой ребенка. Поэтому мы полагаем, мы не говорим о художественных качествах полотен, не расчленяем ни на какие исторические или художественные достоинства или недостатки, просто нам кажется, что это — высшее изображение мира ребенка и того, какую великую силу он в себе несет. А то, чем он по сути заряжен, какими великими возможностями, это раскрывают очень глубоко Нестеров и Пикассо в картинах, о которых мы с вами говорили.

Мы хотим закончить эту тему несколькими словами. Автор не знает, нужно ли заниматься этим вопросом — изображением детей в искусстве, заниматься очень глубоко или очень серьезно, потому что само искусство детскую тему считает обочиной. Как говорится, художники брезгуют, они не очень-то этой темой интересуются. Автор не готов ответить на вопрос, может ли она дать глубокий материал исследователям.

То, что рассказано читателю в этой главе, — скорее не исчерпывание всей темы, потому что это просто невозможно, но наброски каких-то основных пунктов в осмыслении данной темы в искусстве и исторической последовательности этих проблем. Точно так же, вероятно, исторически развивается наука о детской психологии или детской педагогике, точно так же она имеет очень четкие, острые точки построения в себе. Исходя из этой темы, из этой общей задачи, мы выстроили данный материал.

Паола Волкова
Мост через бездну
Книга третья

Редактор О. Свирина
Оформление вкладок О. Ерофеев
Верстка В. Челядинова
Корректор А. Конькова, Т. Шпиленко

ООО «Издательство «Зебра Е»
119121, Москва, ул. Плющиха, 11/20А
E-mail: zebrae@zebrae.net
www.zebrae.ru

Санитарно-эпидемиологическое заключение
№ 77.99.60.953.Д.009937.09.08 от 15.09.2008 г.

По вопросам приобретения книг
обращаться по адресу:
119121, Москва, ул. Плющиха, 11/20А
Тел.: (499) 995-09-42
kniga@zebrae.ru
svirin@zebrae.net

Подписано в печать 10.07.2014
Формат 60×90¹/₁₆. Усл. печ. л. 15.
Тираж 5000 экз. № заказа 435.

Отпечатано в соответствии с предоставленным оригинал-макетом
в ОАО «ИПП «Уральский рабочий»
620990, г. Екатеринбург, ул. Тургенева, 13
http://www.uralprint.ru, e-mail: book@uralprint.ru